초등 수학 핵심파트 집중 완성

초5

E2

수의 범위와 어림하기

에듀히어로

Edu HERO

"진짜 히어로는 우리 아이들입니다!"

에듀히어로는
우리 아이들이 밝고 건강한 내일을 꿈꿀 수 있도록
긍정적이고 효과적인 교육 서비스를 제공하는 것을
최우선 목표로 하고 있습니다.

그 존재만으로도 든든한 히어로처럼 아이들의 곁에서 힘이 되어주고,
나아가 아이들 각자가 스스로의 인생 속 히어로가 될 수 있도록

우리는 진심과 열정을 다해 아이들과 함께 할 것을 약속 드립니다.

네이버 카페

교재 상세 소개와 진단 테스트
및 유용하게 풀 수 있는
학습 자료를 다운로드 해 보세요.

인스타그램

에듀히어로 인스타그램을
팔로우하시면 다양한 이벤트와
신간 소식을 빠르게 만나보실
수 있습니다.

카카오톡 채널

자녀 수학 공부 상담 및
자유로운 질문을 남겨 주세요.
함께 고민하고
답변해 드리겠습니다.

히어로컨텐츠 HEROCONTENS

발행일: 2023년 3월 **발행인**: 이예찬

기획개발: 두줄수학연구소

디자인: 4BD STUDIO **삽화**: 1000DAY

발행처: 히어로컨텐츠

주소: 서울특별시 금천구 서부샛길 632, 7층(대륭테크노타운5차)

전화: 02-862-2220 **팩스**: 02-862-2227

지원카페: cafe.naver.com/eduherocafe **인스타그램**: @edu__hero **카카오톡**: 에듀히어로

초등 수학 핵심파트 집중 완성 교과특강

수학을 잘 하기 위해서는 1) 수와 연산 2) 도형 3) 측정 4) 규칙성 5) 자료와 가능성 등 초등 수학 5대 학습 영역을 고르게 학습해야 합니다.

다른 교과 과목에 비해 많은 시간을 수학을 학습하는 데 할애하고 있지만 아쉽게도 대부분은 연산 영역에 편중되어 있습니다.

최근 들어 '도형' 등 연산 이외의 다른 영역으로 학습을 확장하는 교재들이 출간되고 있지만 여전히 학년별로 다양한 학습 영역과 필수 주제를 체계적으로 안내해 주는 학습지는 많지 않은 것이 현실입니다.

그런 이유로 교과특강은 학년별 필수 주제를 기본 개념부터 응용, 사고력까지 충분하게 학습하고 훈련할 수 있도록 개발되었습니다.

수학을 잘 하고 싶은 학생들에게 노력한 만큼의 성장을 이루어내는 데 교과특강은 좋은 토양과 밑거름이 되어줄 것입니다.

초등 수학 핵심파트 집중 완성 교과특강은

1. '자료 해석 능력'을 집중적으로 키웁니다.

앞으로의 학습은 주어진 표와 그래프를 보고 그 의미를 해석하고 추론하는 '자료 해석 능력'을 요구합니다. 실제로 초등 전학년 뿐만 아니라 중등 과정에서도 '자료 해석'은 학습자의 문제해결력을 확인하는 중요한 소재가 되고 있습니다. 다양한 표와 그래프를 이해하고 해석하는 학습은 초등 과정부터 미리 준비하고 집중적으로 훈련할 필요가 있습니다.

2. '측정', '규칙성' 등 필수 영역임에도 쉽게 지나칠 수 있는 주제를 체계적으로 학습합니다.

길이, 무게, 시간, 어림하기 등 초등 과정에서 쉽게 지나치기 쉬운 '측정'과 추론 능력을 길러주는 '규칙성'을 집중적으로 학습합니다.

3. 복습과 예습으로 학년과 학년 사이의 징검다리 역할을 합니다.

1학년에서 2학년, 2학년에서 3학년, 3학년에서 4학년 등 학년이 올라갈수록 특정 영역에서 수학이 갑자기 어려워지는 순간이 옵니다. 교과특강은 각 학년에서 반드시 짚고 넘어가야 하는 주제를 복습하면서 다음 학년을 위한 예습까지 할 수 있도록 개발되었습니다.

4. 문제해결력과 사고력을 길러줍니다.

기본적인 개념을 바탕으로 이를 응용하고 활용하는 문제해결력과 생각하는 힘을 길러줍니다.

초등 수학 핵심파트 집중 완성 **교과특강**은

7세부터 6학년까지 총 7단계 21권(단계별 3권)으로 구성되어 있으며 각 권은 하루에 1장씩 주 5회, 총 4주간 체계적으로 학습할 수 있습니다.

매주 5일차의 학습이 끝난 뒤엔 '생각더하기'를 통해 창의력과 사고력을 기르고, 4주의 학습이 끝난 뒤엔 '링크'와 '형성평가'로 관련 주제를 학습하고 교과 수학을 완성할 수 있습니다.

대 상	단 계	구 성
7세 ~ 1학년	P	P1, P2, P3
1학년	A	A1, A2, A3
2학년	B	B1, B2, B3
3학년	C	C1, C2, C3
4학년	D	D1, D2, D3
5학년	E	E1, E2, E3
6학년	F	F1, F2, F3

<교과 수학 시리즈 E단계 로드맵>

에듀히어로의 교과 수학 시리즈를 체계적으로 학습하기 위한 로드맵입니다.
예습을 하며 집중적으로 학습하려면 '영역별 집중 학습'을,
교과서 진도에 맞추어 학습하려면 '교과 진도 맞춤 학습'을 권장드립니다.

[영역별 집중 학습]

1월	2월	3월	4월	5월	6월
교과연산 E0, 교과도형 E1	교과연산 E1, 교과도형 E2	교과연산 E2, 교과도형 E3	교과연산 E3, 교과특강 E1	교과특강 E2	교과특강 E3

[교과 진도 맞춤 학습]

1월	2월	3월	4월	5월	6월	7월	8월	9월	10월
교과연산 E0	교과연산 E1	교과특강 E1	교과연산 E2	교과도형 E1	교과특강 E2	교과연산 E3	교과도형 E2	교과도형 E3	교과특강 E3

교과특강은 교과 수학을 완성합니다.

주제별 학습

생각더하기

초등 수학을 주제별로 집중 학습합니다. 각 주차의 마지막에 있는 **생각더하기**로 문제해결력을 기릅니다.

링크

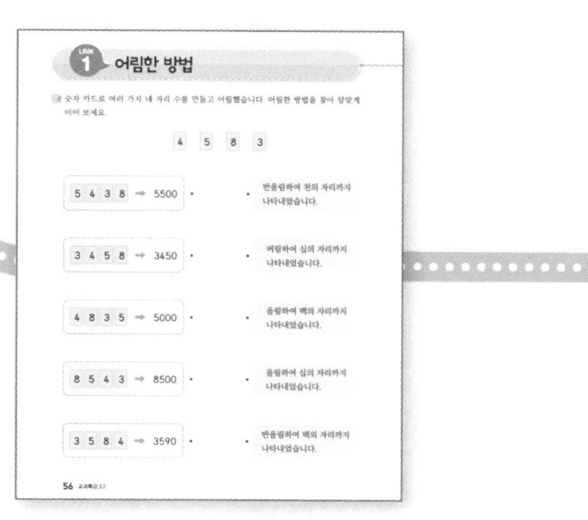
1 어림한 방법

5 4 3 8 → 5500		반올림하여 천의 자리까지 나타내었습니다.
3 4 5 8 → 3450		버림하여 십의 자리까지 나타내었습니다.
4 8 3 5 → 5000		올림하여 백의 자리까지 나타내었습니다.
8 5 4 3 → 8500		올림하여 십의 자리까지 나타내었습니다.
3 5 8 4 → 3590		반올림하여 백의 자리까지 나타내었습니다.

56 교과특강 ♪

주제별 학습과 연결하여 사고력과 창의력을 향상시킬 수 있는 내용을 학습합니다.

형성평가

2회의 형성평가로 배운 내용을 잘 알고 있는지 확인합니다.

이 책의 차례

1 주차

수의 범위 1

1일차 이상과 이하

알맞은 수에 모두 ○표 하세요.

20 이상인 수	15 16 17 18 19 20 21 22
46 이상인 수	43 44 45 46 47 48 49 50
30 이하인 수	26 27 28 29 30 31 32 33
51 이하인 수	49 50 51 52 53 54 55 56

갈거나 큰 수를 이상인 수라고 합니다.
10, 10.5, 11, 15.1, 20 등과 같이 10과 같거나 큰 수는 10 이상인 수입니다.
같거나 작은 수를 이하인 수라고 합니다.
10, 9.9, 8, 7.5, 4 등과 같이 10과 같거나 작은 수는 10 이하인 수입니다.

월 일

알맞은 수에 모두 ◯표 또는 △표 하세요.

6 이상인 수에 ◯표, 3 이하인 수에 △표

1 2 3 4 5 6 7 8

17 이상인 수에 ◯표, 16 이하인 수에 △표

13 14 15 16 17 18 19 20

57 이상인 수에 ◯표, 57 이하인 수에 △표

55 56 57 58 59 60 61 62

81 이상인 수에 ◯표, 81 이하인 수에 △표

77 78 79 80 81 82 83 84

2일차 초과와 미만

알맞은 수에 모두 ◯표 하세요.

30 초과인 수 ······ 28 29 30 31 32 33 34 35

19 초과인 수 ······ 16 17 18 19 20 21 22 23

20 미만인 수 ······ 18 19 20 21 22 23 24 25

41 미만인 수 ······ 37 38 39 40 41 42 43 44

보다 큰 수를 초과인 수라고 합니다.
10.5, 11, 15.1, 20 등과 같이 10보다 큰 수는 10 초과인 수입니다.
(10 이상인 수는 10이 포함되지만 10 초과인 수는 10이 포함되지 않습니다.)
보다 작은 수를 미만인 수라고 합니다.
9.9, 8, 7.5, 4 등과 같이 10보다 작은 수는 10 미만인 수입니다.
10 이하인 수는 10이 포함되지만 10 미만인 수는 10이 포함되지 않습니다.)

알맞은 수에 모두 ○표 또는 △표 하세요.

5 초과인 수에 ○표, 3 미만인 수에 △표

1 2 3 4 5 6 7 8

24 초과인 수에 ○표, 23 미만인 수에 △표

20 21 22 23 24 25 26 27

36 초과인 수에 ○표, 36 미만인 수에 △표

33 34 35 36 37 38 39 40

97 초과인 수에 ○표, 97 미만인 수에 △표

92 93 94 95 96 97 98 99

3일차 수직선에 나타내기

주어진 수의 범위를 수직선에 나타내어 보세요.

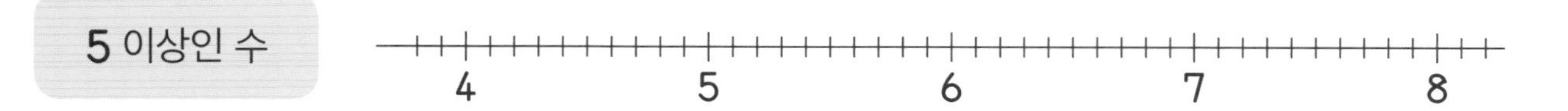

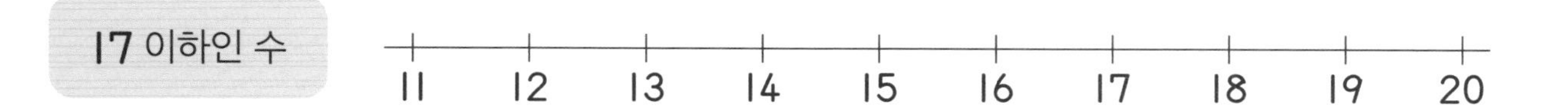

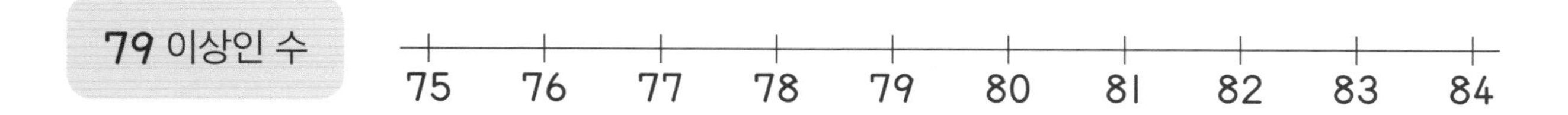

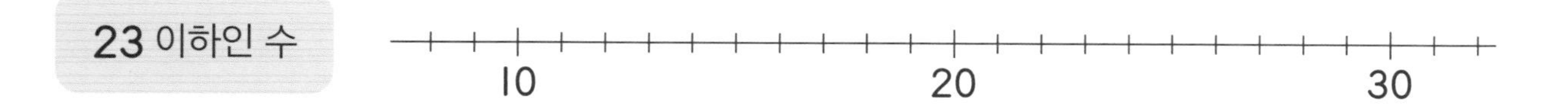

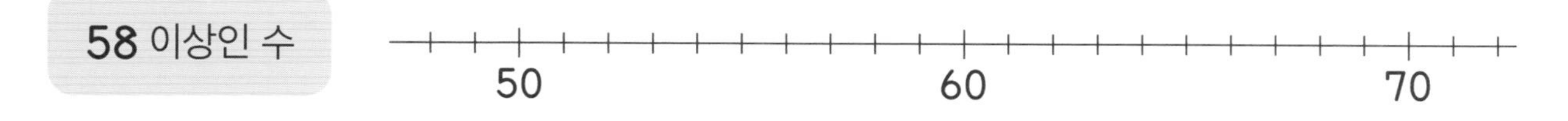

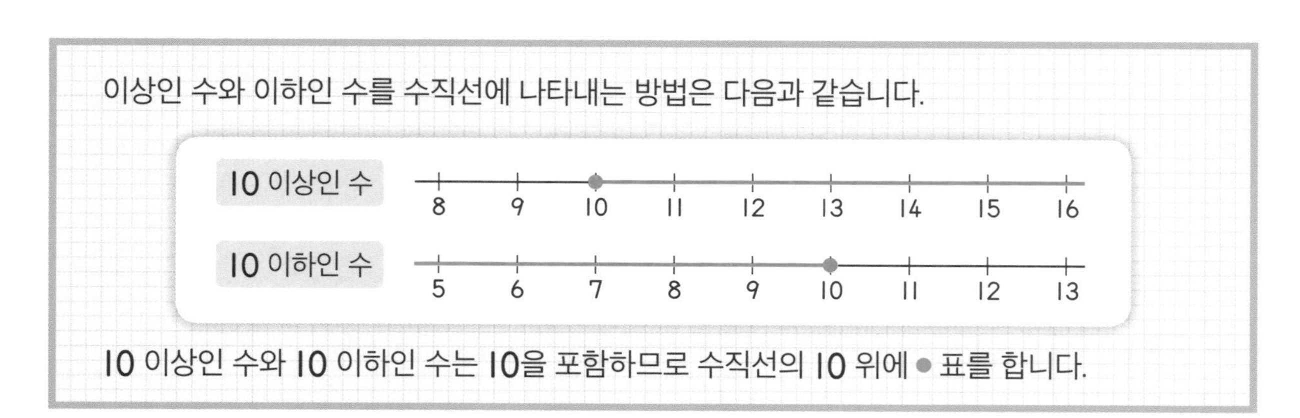

이상인 수와 이하인 수를 수직선에 나타내는 방법은 다음과 같습니다.
10 이상인 수
8 9 10 11 12 13 14 15 16
10 이하인 수
5 6 7 8 9 10 11 12 13
10 이상인 수와 10 이하인 수는 10을 포함하므로 수직선의 10 위에 ● 표를 합니다.

주어진 수의 범위를 수직선에 나타내어 보세요.

15 초과인 수

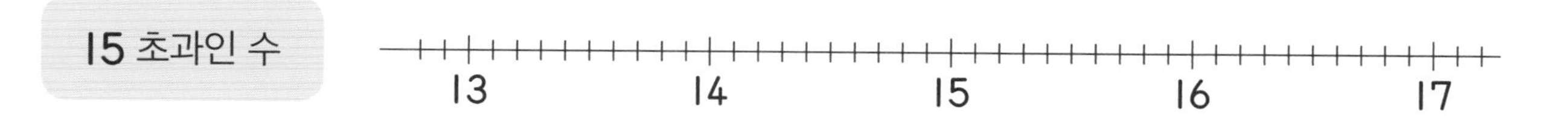

33 미만인 수

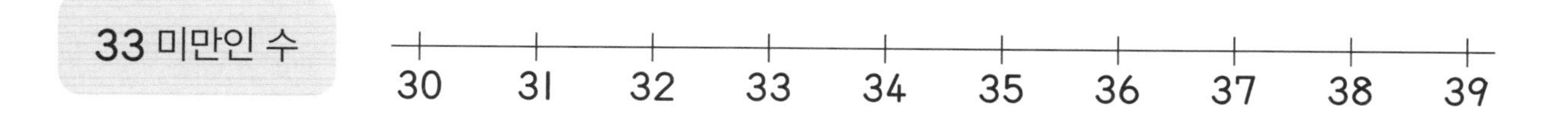

60 초과인 수

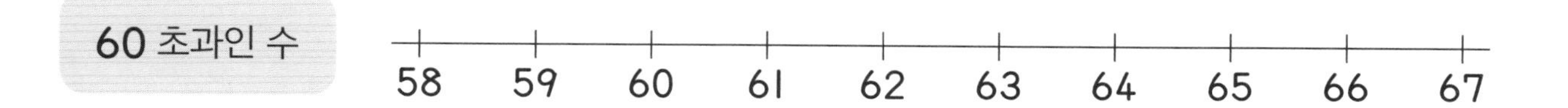

35 미만인 수

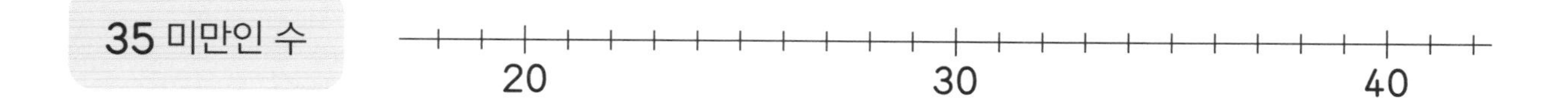

83 초과인 수

초과인 수와 미만인 수를 수직선에 나타내는 방법은 다음과 같습니다.

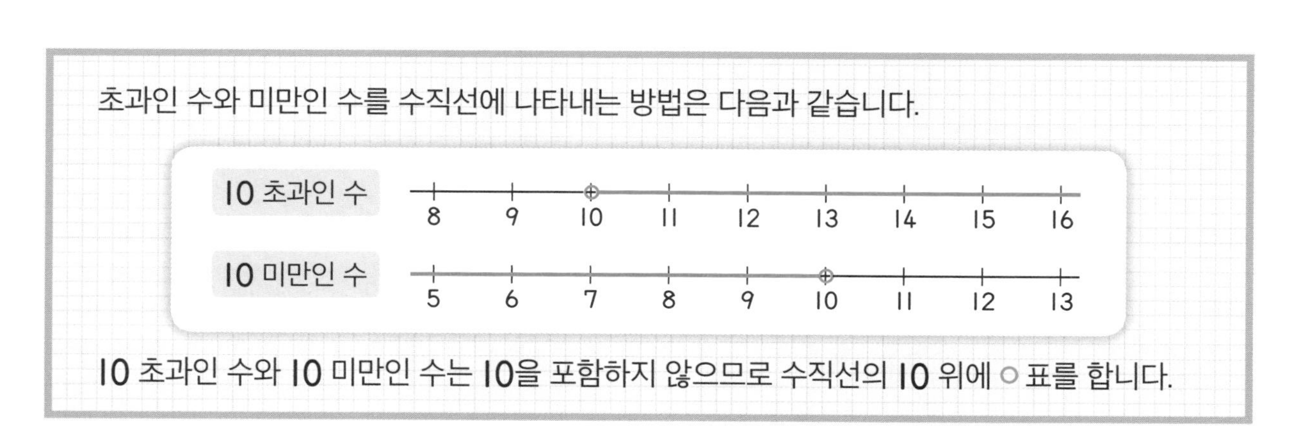

10 초과인 수와 10 미만인 수는 10을 포함하지 않으므로 수직선의 10 위에 ○ 표를 합니다.

4일차 수의 범위와 수

주어진 수를 포함하는 수의 범위를 모두 찾아 ◯표 하세요.

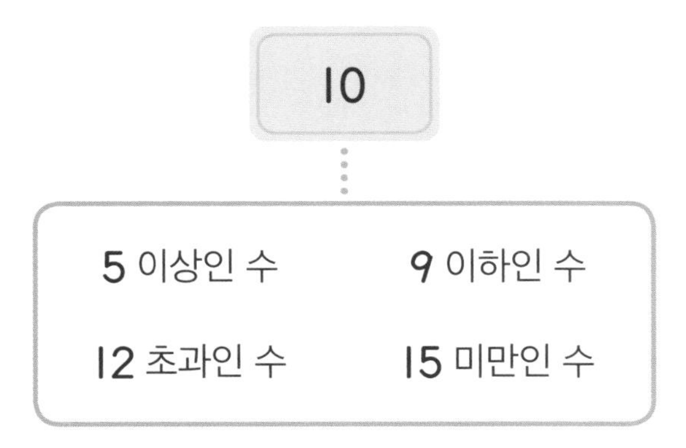

10
5 이상인 수
9 이하인 수
12 초과인 수
15 미만인 수

36
37 이상인 수
40 이하인 수
34 초과인 수
35 미만인 수

120
120 이상인 수
120 이하인 수
120 초과인 수
120 미만인 수

200
190 이상인 수
195 이하인 수
199 초과인 수
199 미만인 수

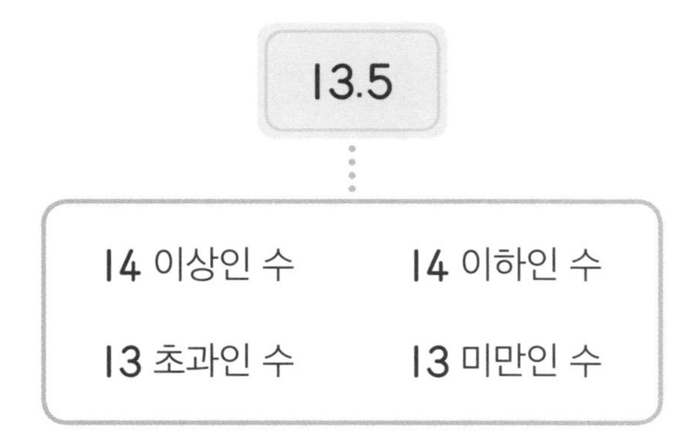

75.2
76 이상인 수
75 이하인 수
75 초과인 수
76 미만인 수

기우네 반 학생들의 한 뼘의 길이를 재었습니다. 빈칸에 알맞은 수 또는 말을 써넣으세요.

학생들의 뼘의 길이

이름	기우	하연	준서	아인	대한	수린
뼘의 길이(cm)	16.3	14.8	14.0	15.8	17.2	15.0

뼘의 길이가 14 cm 이하인 학생의 뼘의 길이는 [ ]cm입니다.

뼘의 길이가 17 cm 초과인 학생의 뼘의 길이는 [ ]cm입니다.

뼘의 길이가 16 cm 이상인 학생은 [ ], [ ]입니다.

뼘의 길이가 15 cm 이하인 학생은 [ ], [ ], [ ]입니다.

뼘의 길이가 16 cm 초과인 학생은 [ ], [ ]입니다.

뼘의 길이가 15 cm 미만인 학생은 [ ], [ ]입니다.

5일차 수의 범위의 이용

물음에 답하세요.

놀이 공원에 있는 우주 열차는 키가 140 cm 이상인 사람만 탈 수 있습니다. 우주 열차를 탈 수 있는 학생의 이름을 모두 써 보세요.

학생들의 키

이름	수현	재희	아라	서진	윤하	시후
키(cm)	137.5	142.5	139.0	140.0	129.8	139.6

( )

달리기 기록이 18초 이하인 학생들이 반 대표로 달리기 대회에 나가기로 했습니다. 대회에 나갈 수 있는 학생의 이름을 모두 써 보세요.

학생들의 달리기 기록

이름	승재	아람	민율	하나	시현	다인
시간(초)	17.5	18.3	19.6	18.0	16.8	20.1

( )

물음에 답하세요.

박물관에 12살 미만인 어린이는 무료로 입장할 수 있습니다. 무료로 입장할 수 있는 어린이의 이름을 모두 써 보세요.

어린이의 나이

이름	시우	은호	재은	지한	해승	서빈
나이(살)	9	13	10	12	14	11

( )

어느 해 7월 최고 기온을 도시별로 조사하여 나타낸 표입니다. 7월 최고 기온이 34℃를 초과하는 도시를 모두 써 보세요.

도시별 7월 최고 기온

도시	가	나	다	라	마	바
기온(℃)	33.5	37.6	34.0	35.2	38.4	31.7

( )

주차 요금

어느 건물의 주차 요금입니다. 물음에 답하세요.

[○○건물 주차 요금]

1시간 이하: 3000원

1시간 초과하면 10분 마다 500원씩 추가

민성이 아버지는 50분 동안 주차를 했습니다. 민성이 아버지가 내야 할 주차 요금은 얼마인가요?

( )원

선아 어머니는 1시간 30분 동안 주차를 했습니다. 선아 어머니가 내야 할 주차 요금은 얼마인가요?

( )원

2 주차

수의 범위 2

1일차 수 찾기

알맞은 수에 모두 ◯표 하세요.

20 이상 23 이하인 수	19	20	21	22	23	24	25

20과 같거나 크고, 23과 같거나 작은 수입니다.

31 초과 35 미만인 수	30	31	32	33	34	35	36
56 이상 60 미만인 수	54	55	56	57	58	59	60
78 초과 82 이하인 수	76	77	78	79	80	81	82
49 이상 55 미만인 수	49	50	51	52	53	54	55
95 초과 99 이하인 수	94	95	96	97	98	99	100

월 일

알맞은 수에 모두 ◯표 또는 △표 하세요.

25 이상인 수에 ◯표, 15 미만인 수에 △표

16 26 13 20 35 25 11 15

29 초과인 수에 ◯표, 19 이하인 수에 △표

30 26 14 36 20 28 19 10

51 이상인 수에 ◯표, 42 이하인 수에 △표

46 53 49 42 63 52 38 50

43 초과인 수에 ◯표, 34 미만인 수에 △표

29 36 32 44 43 30 41 52

2일차 수직선에 나타내기

주어진 수의 범위를 수직선에 나타내어 보세요.

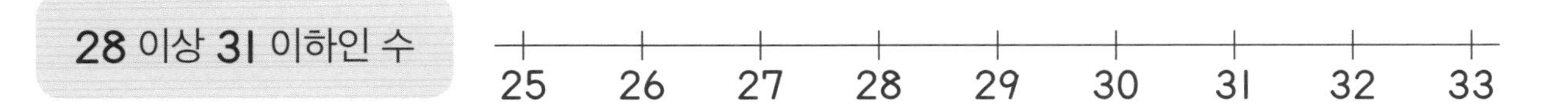

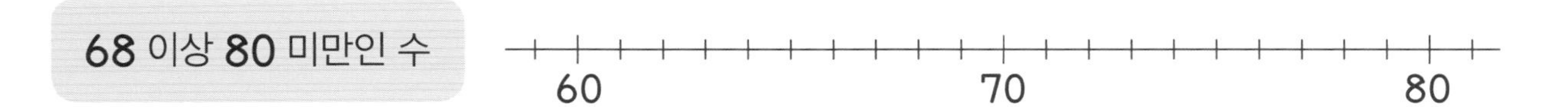

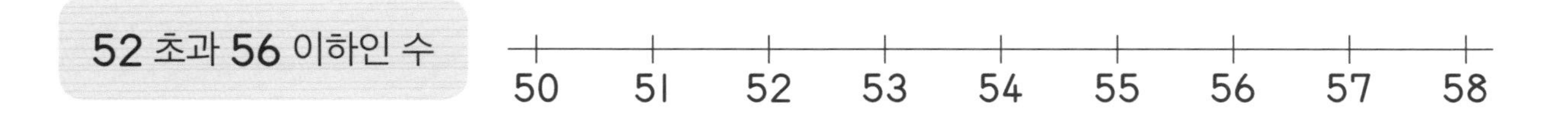

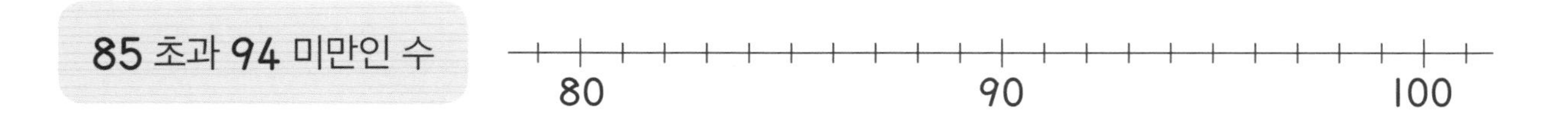

수의 범위를 이상, 이하, 초과, 미만을 이용하여 수직선에 나타내는 방법은 다음과 같습니다.

이상, 이하는 ● 표, 초과, 미만은 ○ 표를 합니다.

어느 태권도 대회의 남자 선수들의 체급별 몸무게를 나타낸 표입니다. 체급별 몸무게 범위를 수직선에 나타내어 보세요.

체급별 몸무게

체급	몸무게(kg)
플라이급	58 미만
라이트급	58 이상 68 미만
미들급	68 이상 80 미만
헤비급	80 이상

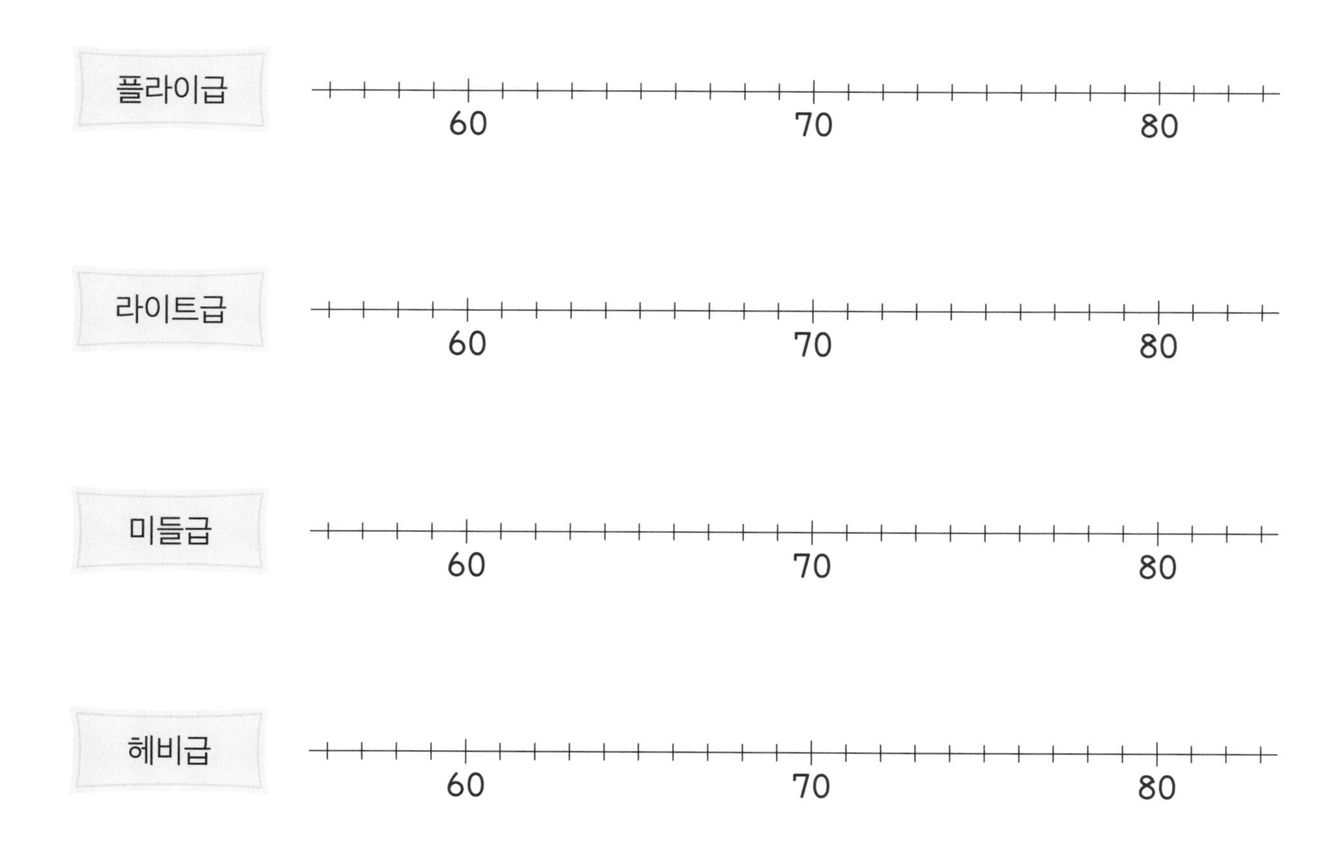

3일차 수직선과 수의 범위

보기 와 같이 이상, 이하, 초과, 미만을 이용하여 수직선에 나타낸 수의 범위를 써 보세요.

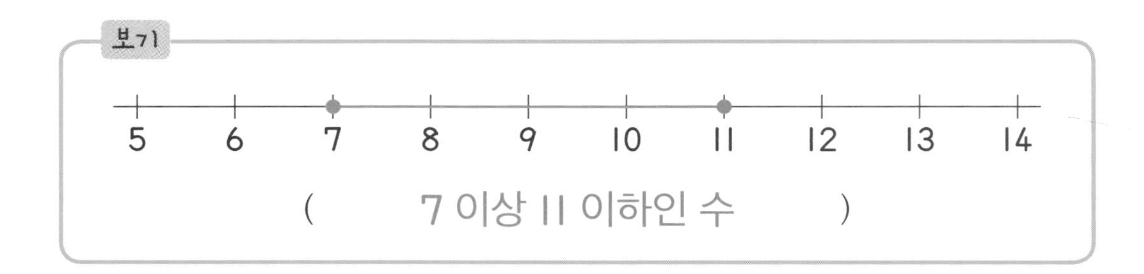

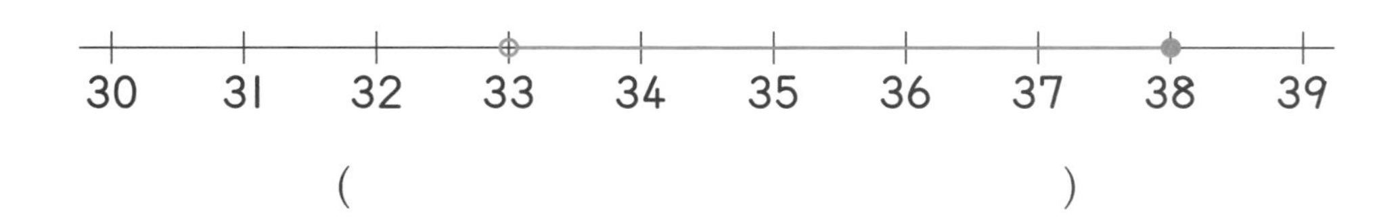

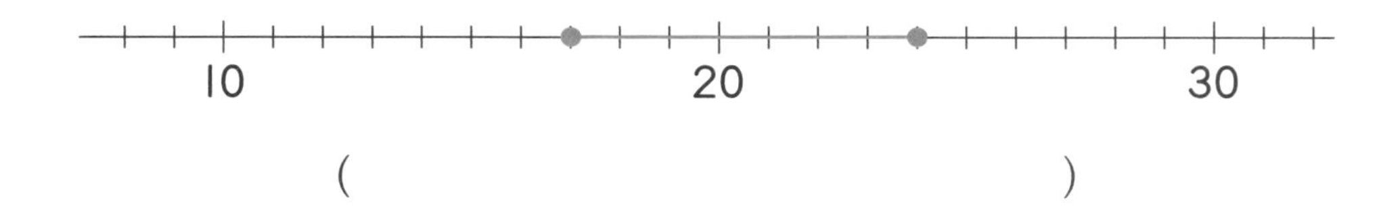

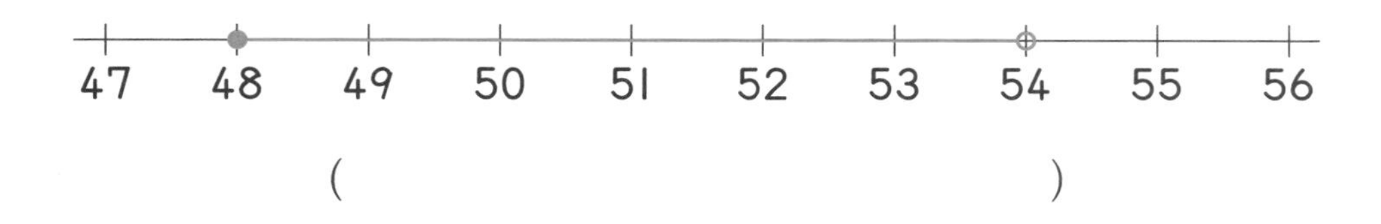

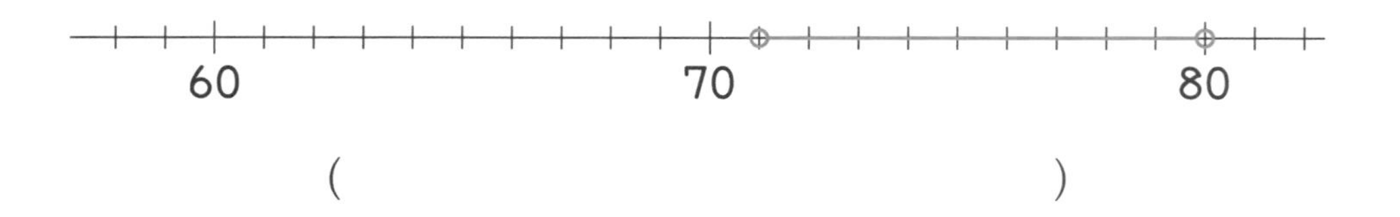

월 일

수직선에 나타낸 수의 범위에 포함되는 수를 모두 찾아 ○표 하세요.

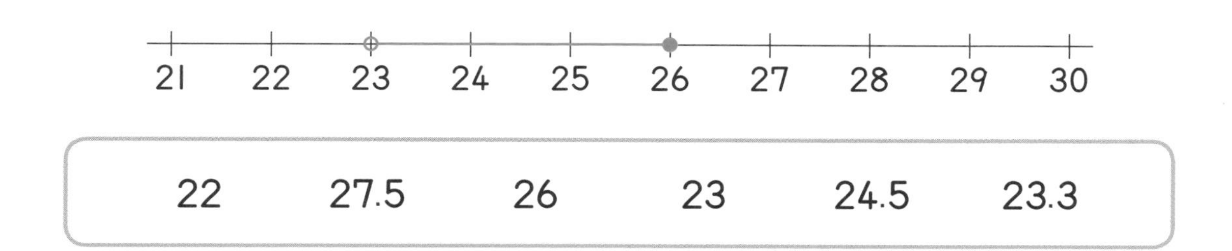

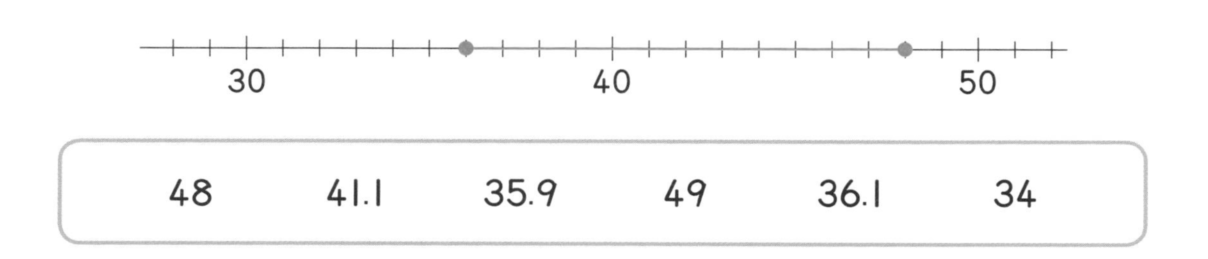

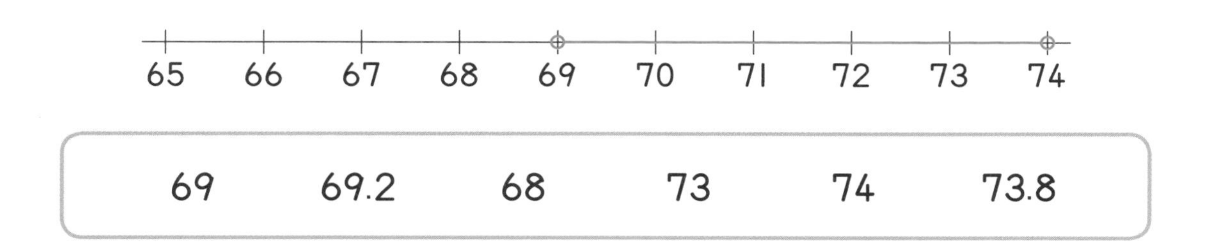

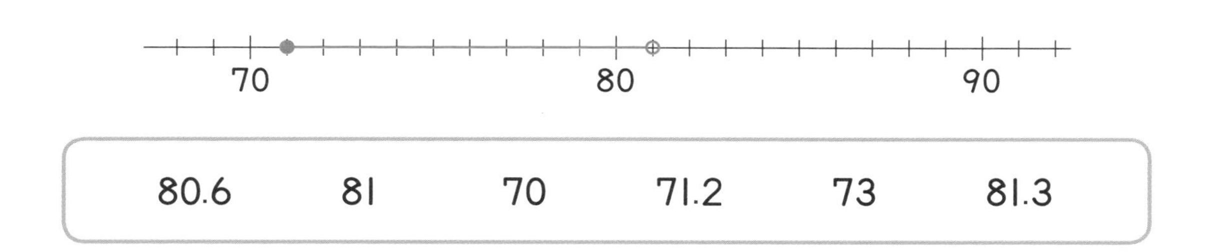

수의 범위와 수

주어진 수를 포함하는 수의 범위를 모두 찾아 ◯표 하세요.

51 ····· 51 이상 54 이하인 수 / 50 초과 52 이하인 수 / 50 이상 51 미만인 수 / 52 초과 55 미만인 수

40 ····· 36 이상 39 이하인 수 / 38 초과 42 이하인 수 / 39 이상 41 미만인 수 / 40 초과 43 미만인 수

73 ····· 70 이상 73 이하인 수 / 73 초과 76 이하인 수 / 74 이상 77 미만인 수 / 71 초과 74 미만인 수

38.5 ····· 35 이상 38 이하인 수 / 38 초과 40 이하인 수 / 39 이상 41 미만인 수 / 36 초과 39 미만인 수

40.9 ····· 41 이상 43 이하인 수 / 38 초과 40 이하인 수 / 40 이상 44 미만인 수 / 39 초과 41 미만인 수

연호네 반 학생들이 줄넘기를 넘은 횟수와 달리기 기록을 나타낸 표입니다. 각 범위에 속하는 학생들의 이름을 모두 써넣어 표를 완성해 보세요.

학생들이 1분 동안 넘은 줄넘기 횟수

이름	연호	수지	준우	다정	정후	민아
횟수(번)	58	66	65	70	61	80

횟수(번)	이름
60 이하	
61 이상 65 이하	
66 이상 70 이하	
71 이상	

학생들의 50 m 달리기 기록

이름	연호	수지	준우	다정	정후	민아
시간(초)	9.5	11.2	8.6	10.0	8.4	10.3

시간(초)	이름
9 이하	
9 초과 10 이하	
10 초과 11 이하	
11 초과	

5일차 수의 범위의 이용

지한이네 학교 씨름 선수들의 몸무게와 어느 씨름 대회의 체급별 몸무게를 나타낸 표입니다. 물음에 답하세요.

씨름 선수들의 몸무게

이름	지한	수찬	재원	형주	지승	민성
몸무게(kg)	45.6	39.8	41.9	51.5	45.0	49.6

체급별 몸무게

체급	몸무게(kg)
경장	40 이하
소장	40 초과 45 이하
청장	45 초과 50 이하
용장	50 초과 55 이하
용사	55 초과

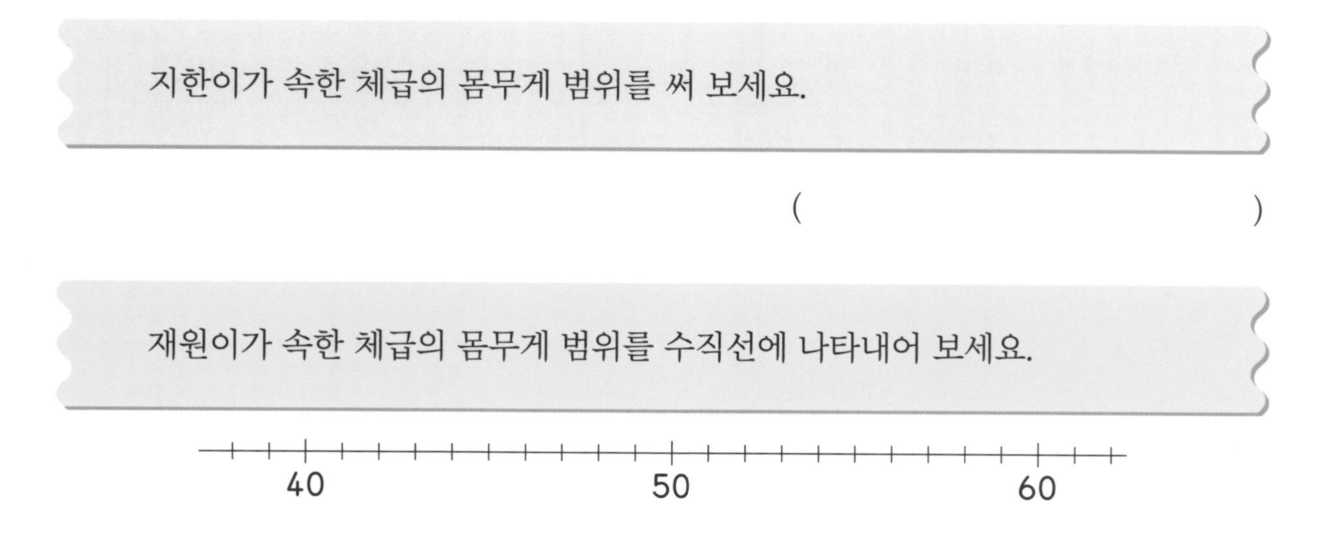

지한이가 속한 체급의 몸무게 범위를 써 보세요.

( )

재원이가 속한 체급의 몸무게 범위를 수직선에 나타내어 보세요.

왼쪽 표를 보고 물음에 답하세요.

경장 체급에 속하는 학생은 누구인가요?

(　　　　　　)

재원이와 같은 체급에 속하는 학생은 누구인가요?

(　　　　　　)

학생들이 아무도 속하지 않은 체급은 어느 체급인가요?

(　　　　　　)

형주가 속하는 체급은 어느 체급인가요?

(　　　　　　)

형주가 청장 체급에 속하려면 적어도 몇 kg을 빼야 하나요?

(　　　　　　)kg

식물원 입장료

식물원 입장료가 다음과 같습니다. 12세인 예준이, 15세인 형, 43세인 어머니, 45세인 아버지, 65세인 할머니가 입장하려면 입장료는 모두 얼마일까요?

식물원 입장료

구분	요금(원)
어린이	2000원
청소년	3000원
어른	5000원

- 어린이: 6세 이상 12세 이하
- 청소년: 13세 이상 18세 이하
- 어른: 19세 이상 65세 미만
- 5세 이하와 65세 이상은 무료

( )원

3 주차

어림하기 1

1일차 올림

올림하여 주어진 자리까지 나타내어 보세요.

수	십의 자리	백의 자리
382	390	
703		

수	십의 자리	백의 자리	천의 자리
2056			3000
6197		6200	

구하려는 자리의 **아래 수를 올려서** 나타내는 방법을 올림이라고 합니다.

수	올림하여 십의 자리	올림하여 백의 자리
105	105 → 110	105 → 200

105를 올림하여 [**십의 자리**, **백의 자리**]까지 나타내면
- 십의 자리의 아래 수인 5를 10으로 봅니다.
- 백의 자리의 아래 수인 05를 100으로 봅니다.

수	올림하여 십의 자리	올림하여 백의 자리	올림하여 천의 자리
1971	1971 → 1980	① 1971 → 2000	1971 → 2000
3280	② 3280 → 3280	3280 → 3300	3280 → 4000

② 0은 0으로 봅니다.

① 백의 자리 숫자가 9이므로 올림하면 2000이 됩니다.

1971을 올림하여 [**십의 자리**, **백의 자리**, **천의 자리**]까지 나타내면
- 십의 자리의 아래 수인 1을 10으로 봅니다.
- 백의 자리의 아래 수인 71을 100으로 봅니다.
- 천의 자리의 아래 수인 971을 1000으로 봅니다.

빈칸에 알맞은 수를 써넣으세요.

433을 올림하여 십의 자리까지 나타내면 [ ] 입니다.

5520을 올림하여 백의 자리까지 나타내면 [ ] 입니다.

23700을 올림하여 천의 자리까지 나타내면 [ ] 입니다.

36600을 올림하여 만의 자리까지 나타내면 [ ] 입니다.

1.155를 올림하여 소수 둘째 자리까지 나타내면 1.16입니다.

소수 둘째 자리의 아래 수인 0.005를 0.01로 봅니다.

5.101을 올림하여 소수 둘째 자리까지 나타내면 [ ] 입니다.

3.467을 올림하여 소수 첫째 자리까지 나타내면 [ ] 입니다.

7.99를 올림하여 소수 첫째 자리까지 나타내면 [ ] 입니다.

2일차 버림

버림하여 주어진 자리까지 나타내어 보세요.

수	십의 자리	백의 자리
421		400
849		

수	십의 자리	백의 자리	천의 자리
5823	5820		
3634			3000

구하려는 자리의 **아래 수를 버려서** 나타내는 방법을 버림이라고 합니다.

수	버림하여 십의 자리	버림하여 백의 자리
245	245 → 240	245 → 200

245를 버림하여 [**십의 자리** / **백의 자리**] 까지 나타내면 [십의 자리의 아래 수인 5를 0으로 봅니다. / 백의 자리의 아래 수인 45를 0으로 봅니다.]

수	버림하여 십의 자리	버림하여 백의 자리	버림하여 천의 자리
3187	3187 → 3180	3187 → 3100	3187 → 3000
1690	① 1690 → 1690	1690 → 1600	1690 → 1000

① 0은 0으로 봅니다.

3187을 버림하여 [**십의 자리** / **백의 자리** / **천의 자리**] 까지 나타내면 [십의 자리의 아래 수인 7을 0으로 봅니다. / 백의 자리의 아래 수인 87을 0으로 봅니다. / 천의 자리의 아래 수인 187을 0으로 봅니다.]

빈칸에 알맞은 수를 써넣으세요.

648을 버림하여 십의 자리까지 나타내면 ☐ 입니다.

1630을 버림하여 백의 자리까지 나타내면 ☐ 입니다.

55670을 버림하여 천의 자리까지 나타내면 ☐ 입니다.

39405를 버림하여 만의 자리까지 나타내면 ☐ 입니다.

3.456을 버림하여 소수 둘째 자리까지 나타내면 3.45입니다.

소수 둘째 자리의 아래 수인 0.006을 0으로 봅니다.

1.373을 버림하여 소수 둘째 자리까지 나타내면 ☐ 입니다.

9.954를 버림하여 소수 첫째 자리까지 나타내면 ☐ 입니다.

0.65를 버림하여 소수 첫째 자리까지 나타내면 ☐ 입니다.

3일차 반올림

반올림하여 주어진 자리까지 나타내어 보세요.

수	십의 자리	백의 자리
137		100
552		

반올림은 바로 아래 자리의 숫자로 올림 또는 버림을 결정합니다.

수	십의 자리	백의 자리	천의 자리
8206			8000
3951	3950		

구하려는 자리의 **바로 아래 자리의 숫자**가 0, 1, 2, 3, 4이면 버리고, 5, 6, 7, 8, 9이면 올려서 나타내는 방법을 반올림이라고 합니다.
반올림은 바로 아래 자리 숫자에 따라 올림 또는 버림을 하는 어림 방법입니다.

수	반올림하여 십의 자리	반올림하여 백의 자리
383	383 → 380	383 → 400

383을 반올림하여 [**십의 자리** / **백의 자리**] 까지 나타내면 [일의 자리 숫자가 3이므로 3을 0으로 봅니다. / 십의 자리 숫자가 8이므로 83을 100으로 봅니다.]

수	반올림하여 십의 자리	반올림하여 백의 자리	반올림하여 천의 자리
2465	2465 → 2470	2465 → 2500	2465 → 2000
5099	① 5099 → 5100	5099 → 5100	5099 → 5000

① 십의 자리 숫자가 9이므로 올림하면 5100이 됩니다.

2465를 반올림하여 [**십의 자리** / **백의 자리** / **천의 자리**] 까지 나타내면 [일의 자리 숫자가 5이므로 5를 10으로 봅니다. / 십의 자리 숫자가 6이므로 65를 100으로 봅니다. / 백의 자리 숫자가 4이므로 465를 0으로 봅니다.]

빈칸에 알맞은 수를 써넣으세요.

323을 반올림하여 십의 자리까지 나타내면 [ ] 입니다.

2005를 반올림하여 백의 자리까지 나타내면 [ ] 입니다.

87654를 반올림하여 천의 자리까지 나타내면 [ ] 입니다.

12550을 반올림하여 만의 자리까지 나타내면 [ ] 입니다.

5.026을 반올림하여 소수 둘째 자리까지 나타내면 5.03입니다.

소수 셋째 자리 숫자가 6이므로 0.006을 0.01로 봅니다.

0.462를 반올림하여 소수 둘째 자리까지 나타내면 [ ] 입니다.

8.083을 반올림하여 소수 첫째 자리까지 나타내면 [ ] 입니다.

1.94를 반올림하여 소수 첫째 자리까지 나타내면 [ ] 입니다.

4일차 올림, 버림, 반올림

올림, 버림, 반올림하여 주어진 자리까지 나타내어 보세요.

수	올림하여 십의 자리	버림하여 십의 자리	반올림하여 십의 자리
351			
2208			

351에서 올림은 1을 10으로, 버림은 1을 0으로,
반올림은 일의 자리 숫자가 1이므로 1을 0으로 봅니다.

수	올림하여 백의 자리	버림하여 백의 자리	반올림하여 백의 자리
7160			
15342			

수	올림하여 천의 자리	버림하여 천의 자리	반올림하여 천의 자리
6054			
33950			

수	올림하여 일의 자리	버림하여 일의 자리	반올림하여 일의 자리
7.2			
15.5			

가장 큰 수를 나타내는 것부터 차례로 기호를 써 보세요.

㉠ 1848을 올림하여 십의 자리까지 나타낸 수
㉡ 1848을 올림하여 백의 자리까지 나타낸 수
㉢ 1848을 올림하여 천의 자리까지 나타낸 수

(, ,)

㉠ 3524를 버림하여 십의 자리까지 나타낸 수
㉡ 3524를 버림하여 백의 자리까지 나타낸 수
㉢ 3524를 버림하여 천의 자리까지 나타낸 수

(, ,)

㉠ 509를 올림하여 백의 자리까지 나타낸 수
㉡ 509를 버림하여 백의 자리까지 나타낸 수
㉢ 509를 반올림하여 십의 자리까지 나타낸 수

(, ,)

㉠ 2153을 올림하여 십의 자리까지 나타낸 수
㉡ 2153을 버림하여 천의 자리까지 나타낸 수
㉢ 2153을 반올림하여 백의 자리까지 나타낸 수

(, ,)

5일차 수 구하기

알맞은 수를 찾아 모두 ○표 하세요.

올림하여 백의 자리까지 나타내면 **5600**이 되는 수

5450	5500	5518	5598	5601

버림하여 십의 자리까지 나타내면 **1370**이 되는 수

1369	1371	1375	1380	1384

반올림하여 천의 자리까지 나타내면 **4000**이 되는 수

3490	3500	3856	4201	4503

반올림하여 백의 자리까지 나타내면 **2900**이 되는 수

2859	2897	2901	2949	2950

월 일

설명하는 네 자리 수를 구하여 빈칸에 알맞은 숫자를 써넣으세요.

올림하여 백의 자리까지 나타내면 1300이 되는 수

□□29

버림하여 백의 자리까지 나타내면 4100이 되는 수

□□72

반올림하여 십의 자리까지 나타내면 7130이 되는 수

712□, 712□, 712□, 712□, 712□

올림하여 천의 자리까지 나타내면 5000이 되는 수 중 가장 작은 수

4□□□

버림하여 천의 자리까지 나타내면 2000이 되는 수 중 가장 큰 수

2□□□

반올림하여 십의 자리까지 나타내면 3840이 되는 수 중 가장 큰 수

38□□

생각 + 더하기

어림수와 수의 범위

올림, 버림, 반올림하여 십의 자리까지 나타낸 수가 150입니다. 알맞은 말에 ○표 하고 수의 범위를 각각 수직선에 나타내어 보세요.

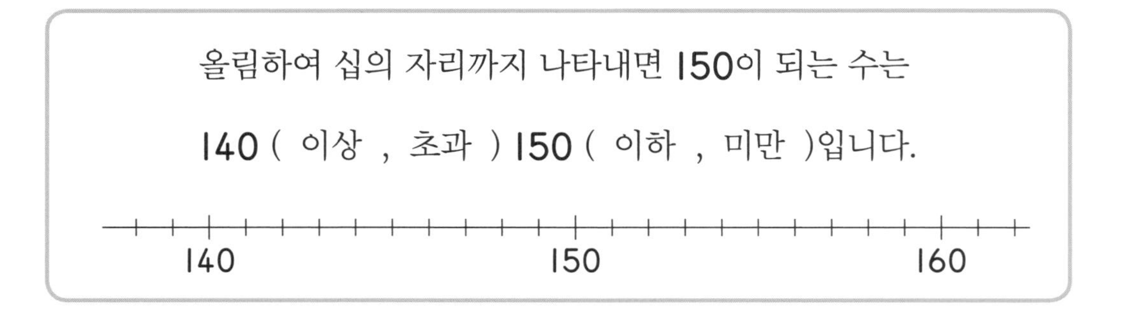
올림하여 십의 자리까지 나타내면 150이 되는 수는
140 (이상 , 초과) 150 (이하 , 미만)입니다.
140
150
160

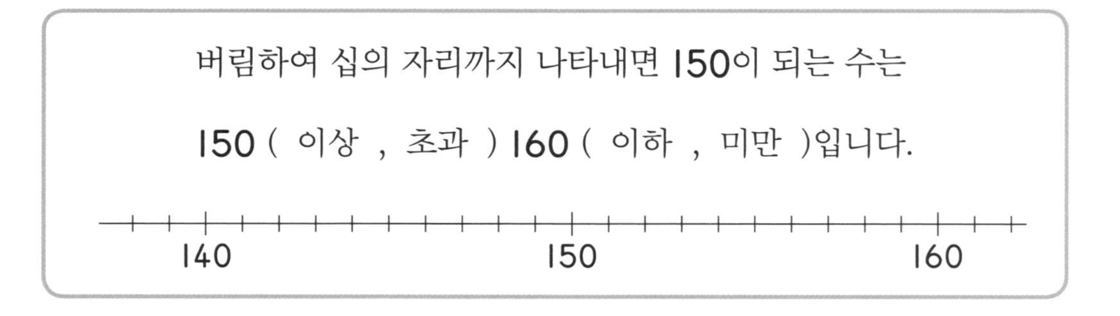
버림하여 십의 자리까지 나타내면 150이 되는 수는
150 (이상 , 초과) 160 (이하 , 미만)입니다.
140
150
160

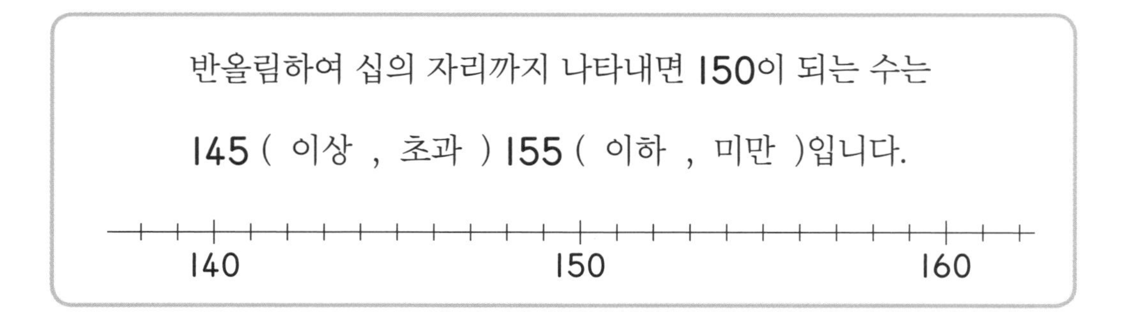
반올림하여 십의 자리까지 나타내면 150이 되는 수는
145 (이상 , 초과) 155 (이하 , 미만)입니다.
140
150
160

4 주차

어림하기 2

1일차 반올림

빈칸에 알맞은 수를 써넣으세요.

단위에 가까운 수로 나타낼 때는 반올림을 활용합니다.

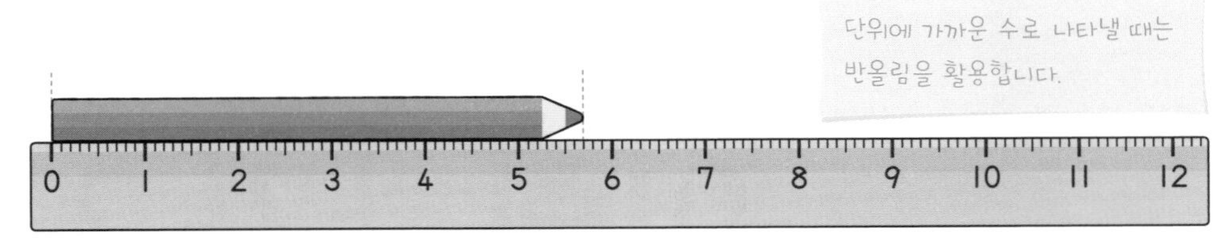

5.7을 반올림하여 일의 자리까지 나타내면 ☐ 입니다.

5.7 cm는 약 ☐ cm입니다.

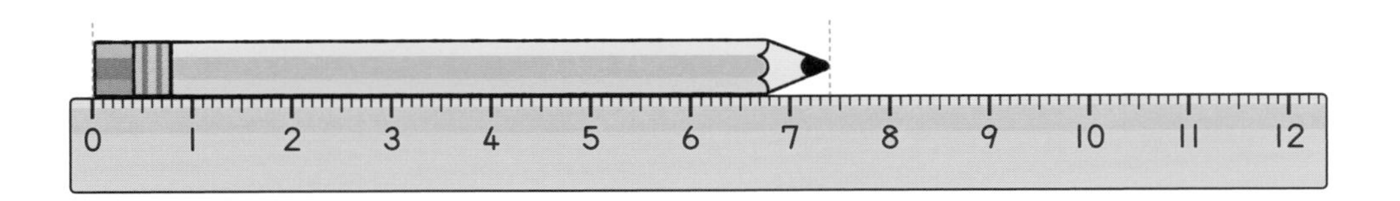

7.4를 반올림하여 일의 자리까지 나타내면 ☐ 입니다.

7.4 cm는 약 ☐ cm입니다.

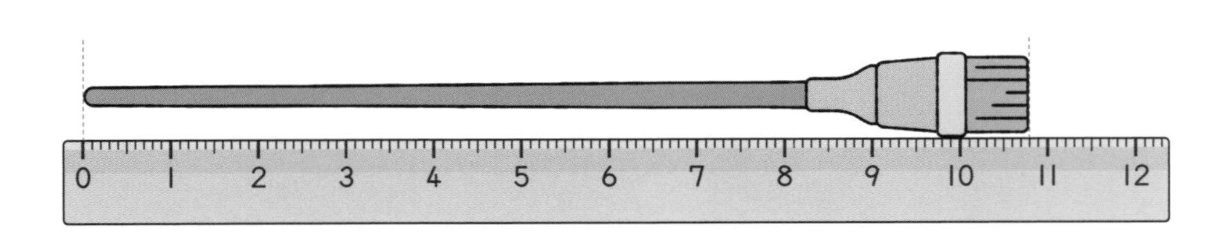

10.8을 반올림하여 일의 자리까지 나타내면 ☐ 입니다.

10.8 cm는 약 ☐ cm입니다.

반올림하여 일의 자리까지 나타내어 보세요.

기준이네 가족의 한 걸음의 길이

가족	아버지	어머니	기준	동생
한 걸음 길이(cm)	72.2	64.3	49.9	35.5
반올림한 길이(cm)				

기준이네 가족의 키

가족	아버지	어머니	기준	동생
키(cm)	179.6	162.3	140.5	128.1
반올림한 키(cm)				

기준이네 가족의 몸무게

가족	아버지	어머니	기준	동생
몸무게(kg)	75.43	55.67	38.08	30.52
반올림한 몸무게(kg)				

2일차 올림

수박의 가격이 17250원입니다. 빈칸에 알맞은 수를 써넣으세요.

모자라지 않도록 최소로 필요한 수를 구할 때 올림을 활용합니다.

17250을 올림하여 만의 자리까지 나타내면 ☐입니다.

10000원짜리 지폐로만 17250원인 수박을 사려면

최소 ☐원을 내야 합니다.

20000원을 내고 거스름돈 2750원을 받게 됩니다.

17250을 올림하여 천의 자리까지 나타내면 ☐입니다.

1000원짜리 지폐로만 17250원인 수박을 사려면

최소 ☐원을 내야 합니다.

17250을 올림하여 백의 자리까지 나타내면 ☐입니다.

100원짜리 동전으로만 17250원인 수박을 사려면

최소 ☐원을 내야 합니다.

빈칸에 알맞은 수를 써넣으세요.

87을 올림하여 십의 자리까지 나타내면 ☐ 입니다.

한 대에 10명까지 탈 수 있는 보트에 87명이 모두 타려면

보트는 최소 ☐ 대 있어야 합니다.

80명이 보트 8대에 타고, 남은 7명이 탈 보트 1대가 더 있어야 합니다.

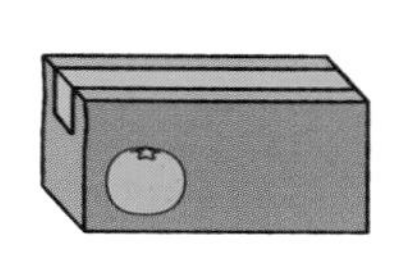

456을 올림하여 백의 자리까지 나타내면 ☐ 입니다.

귤 456상자를 모두 트럭에 실으려고 합니다. 트럭 한 대에

100상자까지 실을 수 있다면 트럭은 최소 ☐ 대 필요합니다.

22300을 올림하여 천의 자리까지 나타내면 ☐ 입니다.

가격이 22300원인 모자를 사는 데 1000원짜리 지폐로만

낸다면 1000원짜리 지폐는 최소 ☐ 장 필요합니다.

3일차 버림

10원짜리 동전으로만 13890원이 있습니다. 빈칸에 알맞은 수를 써넣으세요.

정해진 만큼 최대로 바꿀 수 있는 수를 구할 때 버림을 활용합니다.

13890을 버림하여 만의 자리까지 나타내면 ☐ 입니다.

13890원을 10000원짜리 지폐로 바꾼다면

최대 ☐ 원까지 바꿀 수 있습니다.

10000원을 바꾸고 남은 3890원은 바꿀 수 없습니다.

13890을 버림하여 천의 자리까지 나타내면 ☐ 입니다.

13890원을 1000원짜리 지폐로 바꾼다면

최대 ☐ 원까지 바꿀 수 있습니다.

13890을 버림하여 백의 자리까지 나타내면 ☐ 입니다.

13890원을 100원짜리 동전으로 바꾼다면

최대 ☐ 원까지 바꿀 수 있습니다.

빈칸에 알맞은 수를 써넣으세요.

67을 버림하여 십의 자리까지 나타내면 ☐ 입니다.

사과 67개를 한 봉지에 10개씩 담아서 판다면

사과는 최대 ☐ 봉지까지 팔 수 있습니다.

사과 60개를 봉지에 담아서 팔고 남은 사과 7개는 팔 수 없습니다.

1235를 버림하여 백의 자리까지 나타내면 ☐ 입니다.

선물 한 개를 포장하는 데 끈 100 cm가 필요합니다.

끈 1235 cm로 선물을 최대 ☐ 개까지 포장할 수 있습니다.

8340을 버림하여 천의 자리까지 나타내면 ☐ 입니다.

모은 동전 8340원을 1000원짜리 지폐로 바꾼다면

1000원짜리 지폐는 최대 ☐ 장까지 바꿀 수 있습니다.

4일차 어림한 방법

어림한 방법에 ◯표 하세요.

1550원 하는 과자를 사는 데 100원짜리 동전으로만 낸다면 최소 1600원을 내야 합니다.	⋯⋯	올림 버림 반올림
공장에서 공책 2530권을 100권씩 묶어서 판다면 공책은 최대 2500권까지 팔 수 있습니다.	⋯⋯	올림 버림 반올림
야구공을 한 상자에 10개까지 넣을 수 있습니다. 야구공 51개를 모두 상자에 넣으려면 상자는 최소 6개 필요합니다.	⋯⋯	올림 버림 반올림
9.7 kg인 강아지의 몸무게를 1 kg 단위의 가까운 쪽으로 어림하면 10 kg입니다.	⋯⋯	올림 버림 반올림

월 일

물음에 답하세요.

주스 179병이 있습니다. 주스를 한 상자에 10병씩 담아서 판다면 최대 몇 상자까지 팔 수 있는지 알아보세요.

올림, 버림, 반올림 중 어떤 방법으로 어림해야 하나요? (　　　　　)

주스는 최대 몇 상자까지 팔 수 있나요? (　　　　　)상자

정원이 10명인 놀이기구에 학생 233명이 모두 타려면 놀이기구를 최소 몇 번 운행해야 하는지 알아보세요.

올림, 버림, 반올림 중 어떤 방법으로 어림해야 하나요? (　　　　　)

놀이기구를 최소 몇 번 운행해야 하나요? (　　　　　)번

5일차 어림하여 구하기

물음에 답하세요.

신발 가게에서 35100원짜리 신발을 사려고 합니다. 10000원짜리 지폐로만 낸다면 최소 얼마를 내야 할까요?

( )원

승주는 동전으로 14840원을 모았습니다. 모은 동전을 1000원짜리 지폐로 바꾼다면 최대 얼마까지 바꿀 수 있을까요?

( )원

수하네 학교 5학년 학생 186명에게 공책을 1권씩 나누어 주려고 합니다. 공책을 10권씩 묶어서 팔고 있다면 공책은 최소 몇 권 사야 할까요?

( )권

색종이 1298장을 100장씩 묶어서 판다면 팔 수 있는 색종이는 최대 몇 장일까요?

( )장

월 일

물음에 답하세요.

스티커를 10장 모을 때마다 연필을 1자루 받습니다. 스티커 58장이 있다면 연필을 최대 몇 자루 받을 수 있을까요?

( )자루

생수 1000 mL를 담을 수 있는 물병이 있습니다. 생수 13500 mL를 모두 물병에 담으려면 물병은 최소 몇 개 필요할까요?

( )개

빵 1개를 만드는 데 밀가루 100 g이 필요합니다. 밀가루가 3624 g 있다면 빵을 최대 몇 개 만들 수 있을까요?

( )개

최대 10명까지 탈 수 있는 승합차가 있습니다. 125명이 승합차에 모두 타려면 승합차는 최소 몇 대 필요할까요?

( )대

묶어서 팔기

풍선 2154개가 있습니다. 풍선을 한 상자에 1000개씩, 100개씩, 10개씩 담아서 팔려고 합니다. 빈칸에 알맞은 수를 써넣으세요.

풍선을 한 상자에 1000개씩 담아서 판다면 최대 ☐ 상자까지 팔 수 있고,
팔 수 있는 풍선은 최대 ☐ 개입니다.

풍선을 한 상자에 100개씩 담아서 판다면 최대 ☐ 상자까지 팔 수 있고,
팔 수 있는 풍선은 최대 ☐ 개입니다.

풍선을 한 상자에 10개씩 담아서 판다면 최대 ☐ 상자까지 팔 수 있고,
팔 수 있는 풍선은 최대 ☐ 개입니다.

링크 숫자 카드

LINK 1 어림한 방법

숫자 카드로 여러 가지 네 자리 수를 만들고 어림했습니다. 어림한 방법을 찾아 알맞게 이어 보세요.

3 4 5 8 → 3450

4 8 3 5 → 5000

8 5 4 3 → 8500

3 5 8 4 → 3590

- 반올림하여 천의 자리까지 나타내었습니다.
- 버림하여 십의 자리까지 나타내었습니다.
- 올림하여 백의 자리까지 나타내었습니다.
- 올림하여 십의 자리까지 나타내었습니다.
- 반올림하여 백의 자리까지 나타내었습니다.

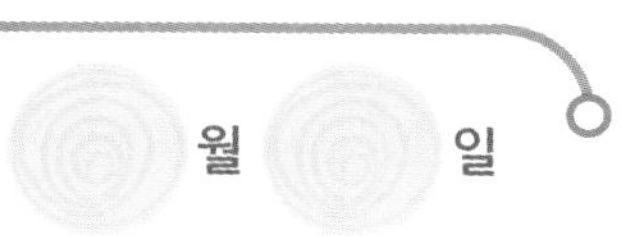

숫자 카드 1, 2, 4, 7로 네 자리 수 1274를 만들고 여러 가지 방법으로 어림했습니다. 어림한 방법을 써 보세요.

| 1 | 2 | 7 | 4 | ➡ 1300

어림 방법

| 1 | 2 | 7 | 4 | ➡ 1200

어림 방법

| 1 | 2 | 7 | 4 | ➡ 1000

어림 방법

| 1 | 2 | 7 | 4 | ➡ 1280

어림 방법

LINK 2 수 만들어 어림하기

숫자 카드가 한 장씩 있습니다. 물음에 답하세요.

숫자 카드로 가장 큰 네 자리 수를 만들고, 만든 네 자리 수를 올림하여 천의 자리까지 나타내어 보세요.

4　1　5　8　(　　　　)

숫자 카드로 가장 작은 네 자리 수를 만들고, 만든 네 자리 수를 버림하여 백의 자리까지 나타내어 보세요.

3　0　7　6　(　　　　)

숫자 카드로 가장 큰 네 자리 수를 만들고, 만든 네 자리 수를 반올림하여 십의 자리까지 나타내어 보세요.

7　2　9　3　(　　　　)

숫자 카드와 소수점 카드가 한 장씩 있습니다. 물음에 답하세요.

주어진 카드로 가장 큰 소수 세 자리 수를 만들고, 만든 소수를 올림하여 소수 첫째 자리까지 나타내어 보세요.

6 2 1 7 .

( )

주어진 카드로 가장 작은 소수 세 자리 수를 만들고, 만든 소수를 버림하여 소수 둘째 자리까지 나타내어 보세요.

4 0 9 6 .

( )

주어진 카드로 가장 큰 소수 세 자리 수를 만들고, 만든 소수를 반올림하여 일의 자리까지 나타내어 보세요.

3 7 4 5 .

( )

LINK 3 숫자 카드로 만든 수

숫자 카드가 한 장씩 있습니다. 물음에 답하세요.

2	3	4	8

숫자 카드로 어떤 네 자리 수를 만든 다음, 올림하여 십의 자리까지 나타내었더니 **3850**입니다. 만든 네 자리 수를 구해 보세요.

숫자 카드로 어떤 네 자리 수를 만든 다음, 버림하여 십의 자리까지 나타내었더니 **8230**입니다. 만든 네 자리 수를 구해 보세요.

숫자 카드로 어떤 네 자리 수를 만든 다음, 반올림하여 백의 자리까지 나타내었더니 **4400**입니다. 만든 네 자리 수를 구해 보세요.

월 일

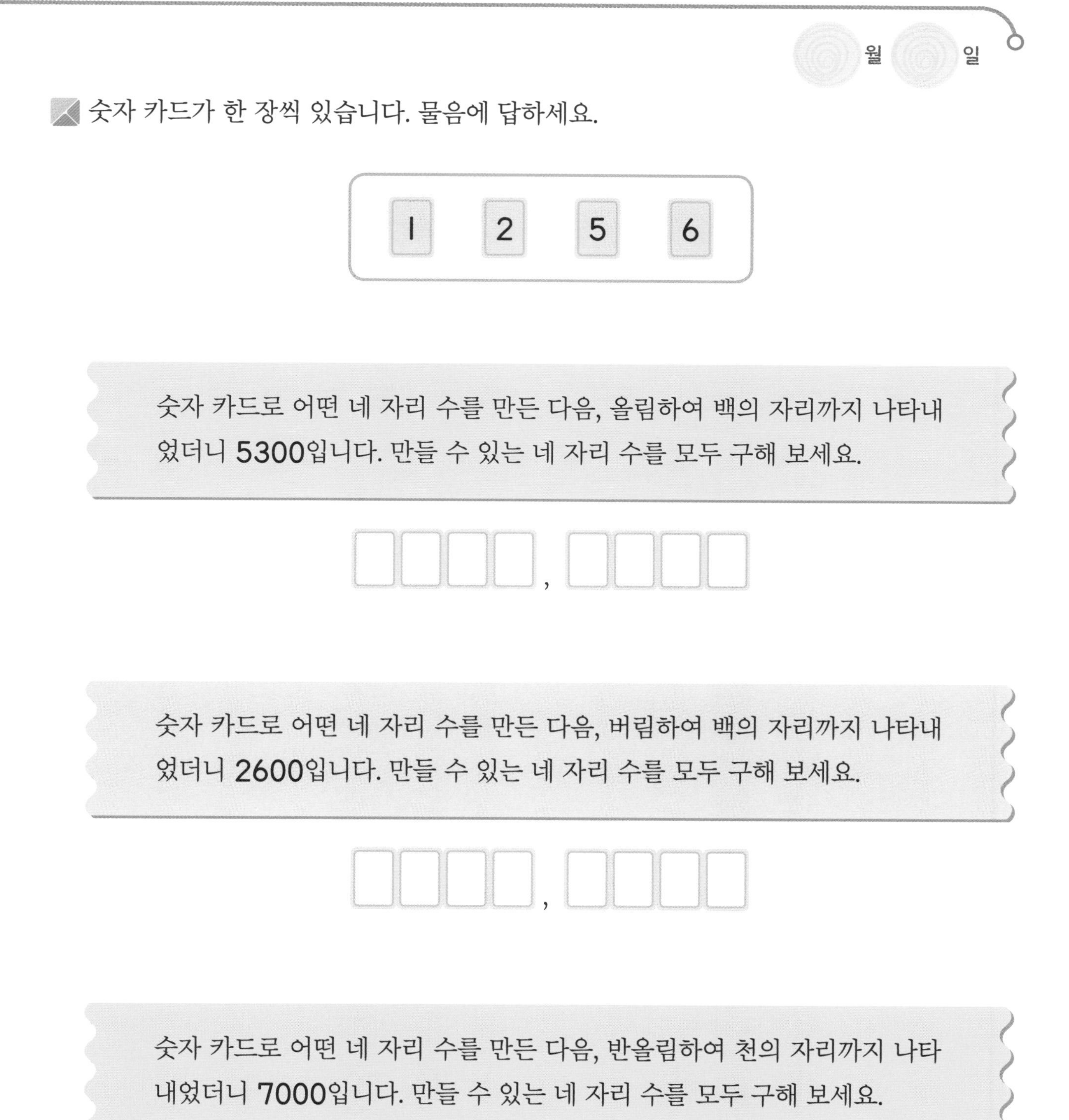

숫자 카드가 한 장씩 있습니다. 물음에 답하세요.

1 2 5 6

숫자 카드로 어떤 네 자리 수를 만든 다음, 올림하여 백의 자리까지 나타내었더니 5300입니다. 만들 수 있는 네 자리 수를 모두 구해 보세요.

□□□□, □□□□

숫자 카드로 어떤 네 자리 수를 만든 다음, 버림하여 백의 자리까지 나타내었더니 2600입니다. 만들 수 있는 네 자리 수를 모두 구해 보세요.

□□□□, □□□□

숫자 카드로 어떤 네 자리 수를 만든 다음, 반올림하여 천의 자리까지 나타내었더니 7000입니다. 만들 수 있는 네 자리 수를 모두 구해 보세요.

□□□□, □□□□

memo

형성평가

형성평가 1회

1 수직선에 나타낸 수의 범위에 포함되는 수를 모두 찾아 ◯표 하세요.

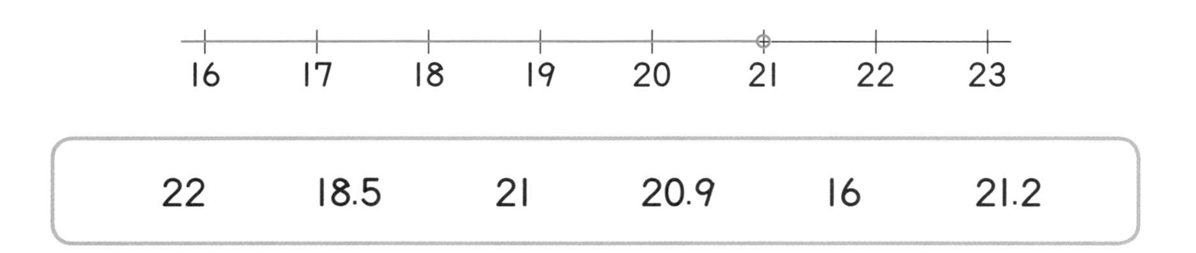

22	18.5	21	20.9	16	21.2

2 수직선에 나타낸 수의 범위를 보고 빈칸에 이상, 이하, 초과, 미만 중 알맞은 말을 써넣으세요.

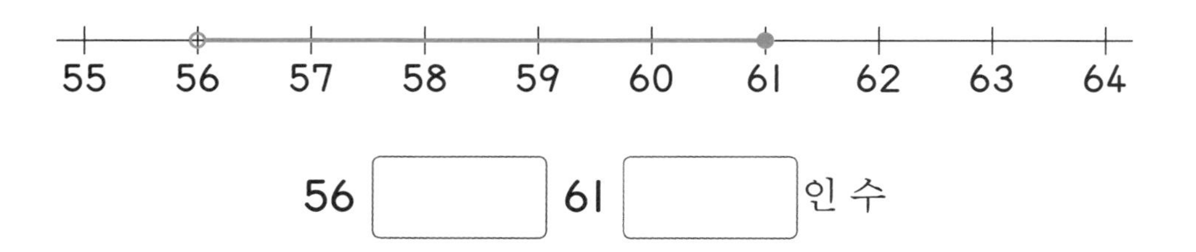

56 [ ] 61 [ ] 인 수

3 어느 주차장에는 높이가 2 m 미만인 자동차만 들어갈 수 있습니다. 주차장에 들어갈 수 있는 자동차의 기호를 모두 써 보세요.

자동차의 높이

자동차	가	나	다	라	마	바
높이(cm)	150.3	200.0	232.5	195.6	180.9	203.1

( )

4 한라산의 높이는 1950 m입니다. 한라산의 높이를 어림하여 주어진 자리까지 나타내어 보세요.

높이(m)	올림하여 천의 자리	버림하여 백의 자리	반올림하여 백의 자리
1950			

5 주어진 수를 올림, 버림, 반올림하여 천의 자리까지 나타내었을 때 5000이 되는 수에 모두 ◯표 하세요.

수	4450	4500	4993	5000	5499	5560
올림	○	○	○	○		
버림						
반올림						

6 정원이 10명인 케이블카에 관광객 103명이 모두 타려고 합니다. 케이블카를 최소 몇 번 운행해야 할까요?

(　　　　　)번

형성평가 2회

1 25 이상인 수에 모두 ◯표 하세요.

23	19	28	31	20	26	25

※서진이네 반 여학생들이 제자리 멀리뛰기를 한 기록과 등급별 거리입니다. 물음에 답하세요. (**2**~**3**)

제자리 멀리뛰기 기록

이름	서진	미주	아현	혜지	다원
거리(cm)	130.5	110.0	170.3	123.7	141.4

등급별 거리

등급	1	2	3	4	5
거리(cm)	170 초과	139 초과 170 이하	123 초과 139 이하	100 초과 123 이하	100 이하

2 서진이와 같은 등급에 속한 학생의 이름을 써 보세요.

(　　　　　　)

3 미주가 속한 등급의 거리 범위를 수직선에 나타내어 보세요.

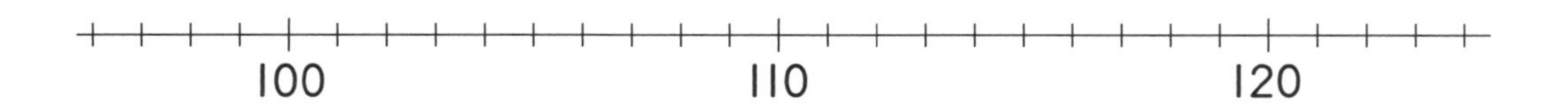

4 공연장에 입장한 사람이 26253명입니다. 사람 수를 올림, 버림, 반올림하여 천의 자리까지 나타내어 보세요.

사람 수(명)	올림	버림	반올림
26253			

5 어떤 네 자리 수를 반올림하여 백의 자리까지 나타내면 3100입니다. 어떤 네 자리 수가 다음과 같을 때 천의 자리 숫자와 백의 자리 숫자를 써넣으세요.

6 사탕을 한 봉지에 100개씩 담아서 팔려고 합니다. 사탕이 2145개 있다면 최대 몇 봉지까지 팔 수 있고, 팔 수 있는 사탕은 최대 몇 개일까요?

( )봉지, ( )개

memo

초등 수학 핵심파트 집중 완성

교과특강

초5

E 2

수의 범위와 어림하기

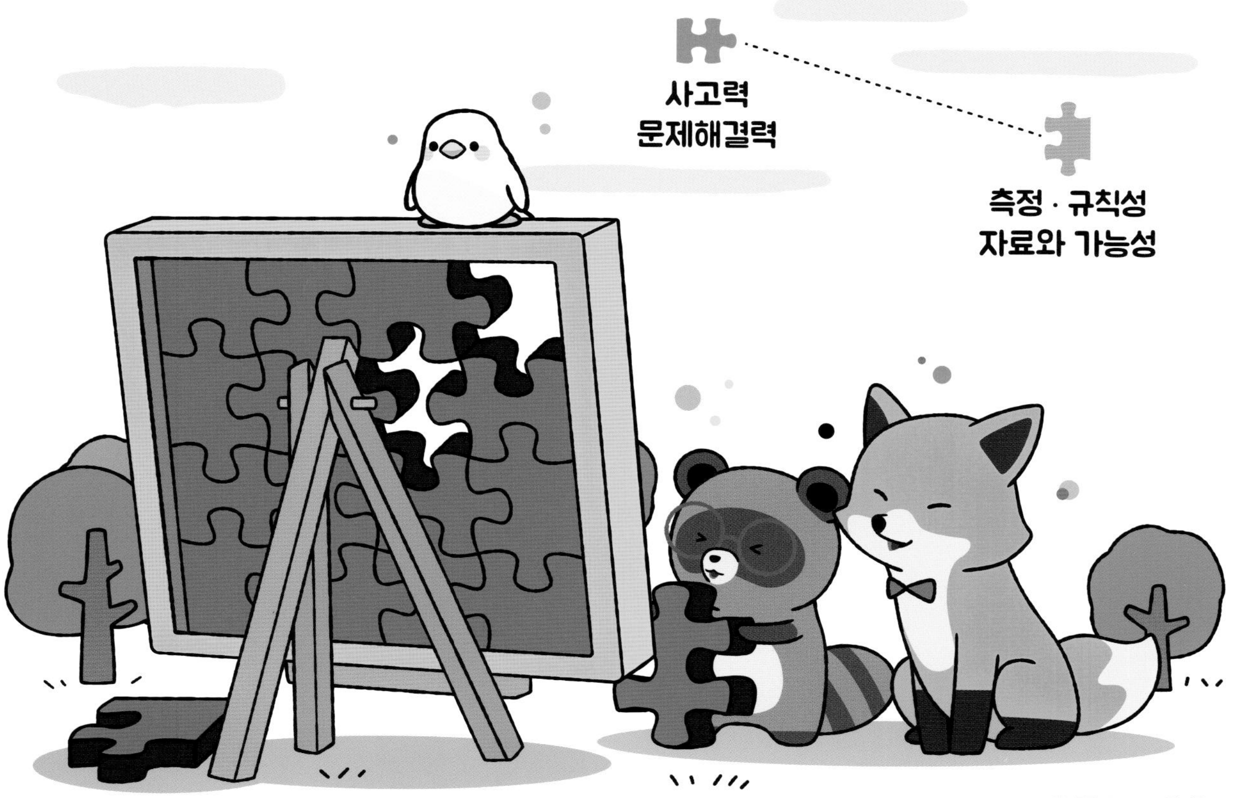

정답

E2

수의 범위와 어림하기

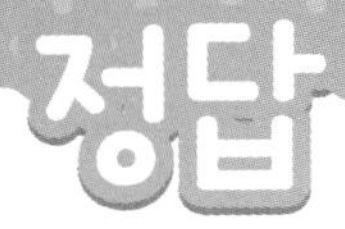

1주차: 수의 범위 1

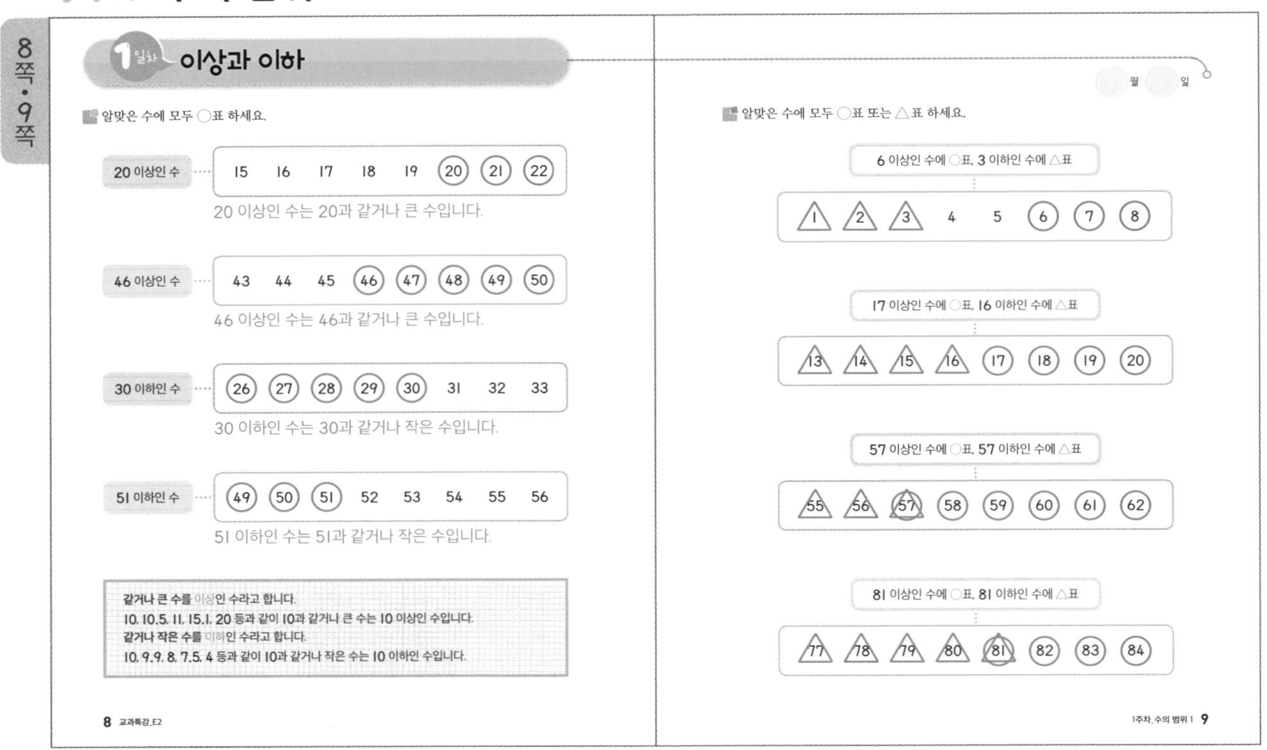

8쪽·9쪽
1일차 이상과 이하
알맞은 수에 모두 ○표 하세요.
20 이상인 수
15 16 17 18 19 20 21 22
20 이상인 수는 20과 같거나 큰 수입니다.
46 이상인 수
43 44 45 46 47 48 49 50
46 이상인 수는 46과 같거나 큰 수입니다.
30 이하인 수
26 27 28 29 30 31 32 33
30 이하인 수는 30과 같거나 작은 수입니다.
51 이하인 수
49 50 51 52 53 54 55 56
51 이하인 수는 51과 같거나 작은 수입니다.
같거나 큰 수를 이상인 수라고 합니다.
10, 10.5, 11, 15.1, 20 등과 같이 10과 같거나 큰 수는 10 이상인 수입니다.
같거나 작은 수를 이하인 수라고 합니다.
10, 9.9, 8, 7.5, 4 등과 같이 10과 같거나 작은 수는 10 이하인 수입니다.
알맞은 수에 모두 ○표 또는 △표 하세요.
6 이상인 수에 ○표, 3 이하인 수에 △표
1 2 3 4 5 6 7 8
17 이상인 수에 ○표, 16 이하인 수에 △표
13 14 15 16 17 18 19 20
57 이상인 수에 ○표, 57 이하인 수에 △표
55 56 57 58 59 60 61 62
81 이상인 수에 ○표, 81 이하인 수에 △표
77 78 79 80 81 82 83 84
8 교과특강_E2
1주차_수의 범위 1 9

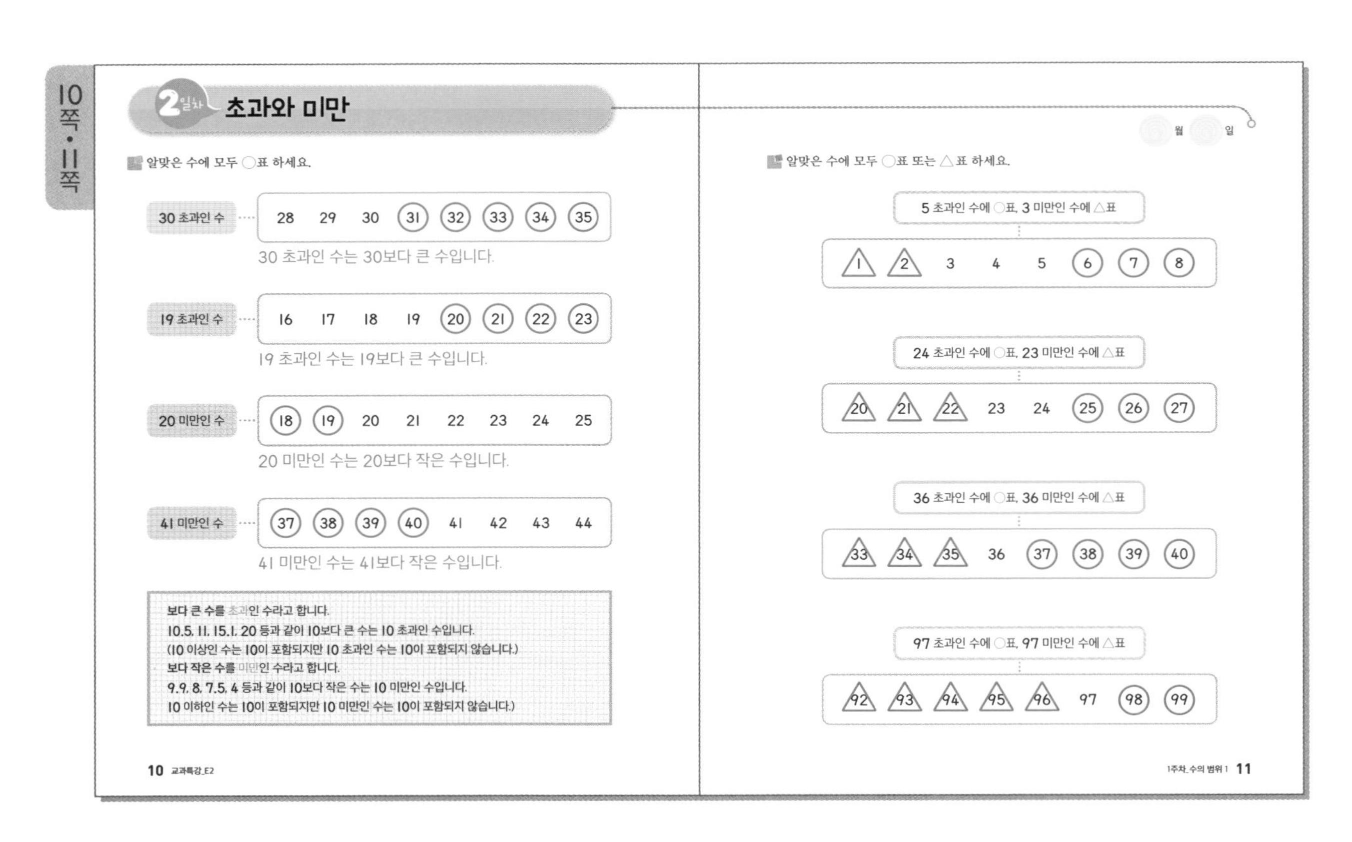

10쪽·11쪽
2일차 초과와 미만
알맞은 수에 모두 ○표 하세요.
30 초과인 수
28 29 30 31 32 33 34 35
30 초과인 수는 30보다 큰 수입니다.
19 초과인 수
16 17 18 19 20 21 22 23
19 초과인 수는 19보다 큰 수입니다.
20 미만인 수
18 19 20 21 22 23 24 25
20 미만인 수는 20보다 작은 수입니다.
41 미만인 수
37 38 39 40 41 42 43 44
41 미만인 수는 41보다 작은 수입니다.
보다 큰 수를 초과인 수라고 합니다.
10.5, 11, 15.1, 20 등과 같이 10보다 큰 수는 10 초과인 수입니다.
(10 이상인 수는 10이 포함되지만 10 초과인 수는 10이 포함되지 않습니다.)
보다 작은 수를 미만인 수라고 합니다.
9.9, 8, 7.5, 4 등과 같이 10보다 작은 수는 10 미만인 수입니다.
10 이하인 수는 10이 포함되지만 10 미만인 수는 10이 포함되지 않습니다.)
알맞은 수에 모두 ○표 또는 △표 하세요.
5 초과인 수에 ○표, 3 미만인 수에 △표
1 2 3 4 5 6 7 8
24 초과인 수에 ○표, 23 미만인 수에 △표
20 21 22 23 24 25 26 27
36 초과인 수에 ○표, 36 미만인 수에 △표
33 34 35 36 37 38 39 40
97 초과인 수에 ○표, 97 미만인 수에 △표
92 93 94 95 96 97 98 99
10 교과특강_E2
1주차_수의 범위 1 11

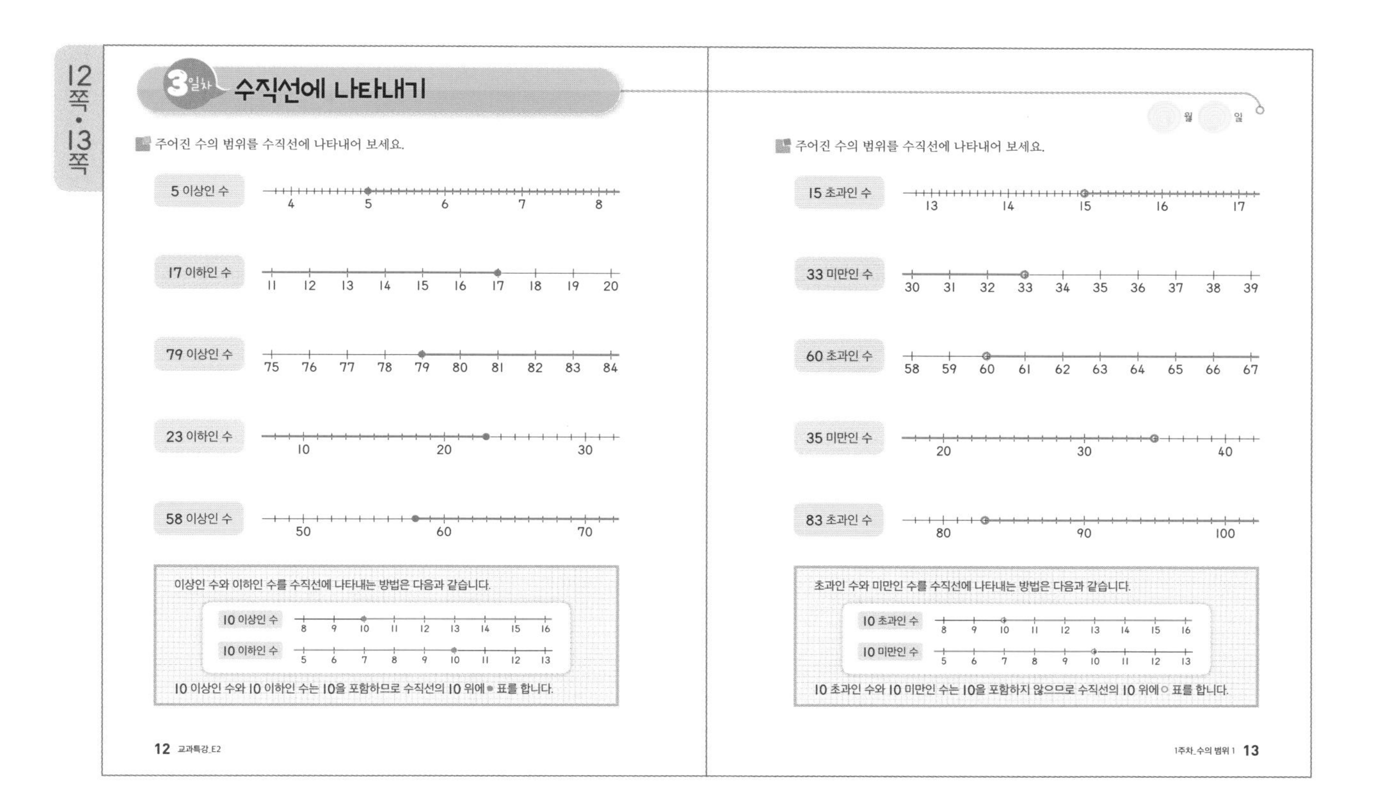

12쪽·13쪽

3일차 수직선에 나타내기

주어진 수의 범위를 수직선에 나타내어 보세요.

5 이상인 수

17 이하인 수

79 이상인 수

23 이하인 수

58 이상인 수

이상인 수와 이하인 수를 수직선에 나타내는 방법은 다음과 같습니다.

10 이상인 수

10 이하인 수

10 이상인 수와 10 이하인 수는 10을 포함하므로 수직선의 10 위에 ● 표를 합니다.

월 일

주어진 수의 범위를 수직선에 나타내어 보세요.

15 초과인 수

33 미만인 수

60 초과인 수

35 미만인 수

83 초과인 수

초과인 수와 미만인 수를 수직선에 나타내는 방법은 다음과 같습니다.

10 초과인 수

10 미만인 수

10 초과인 수와 10 미만인 수는 10을 포함하지 않으므로 수직선의 10 위에 ○ 표를 합니다.

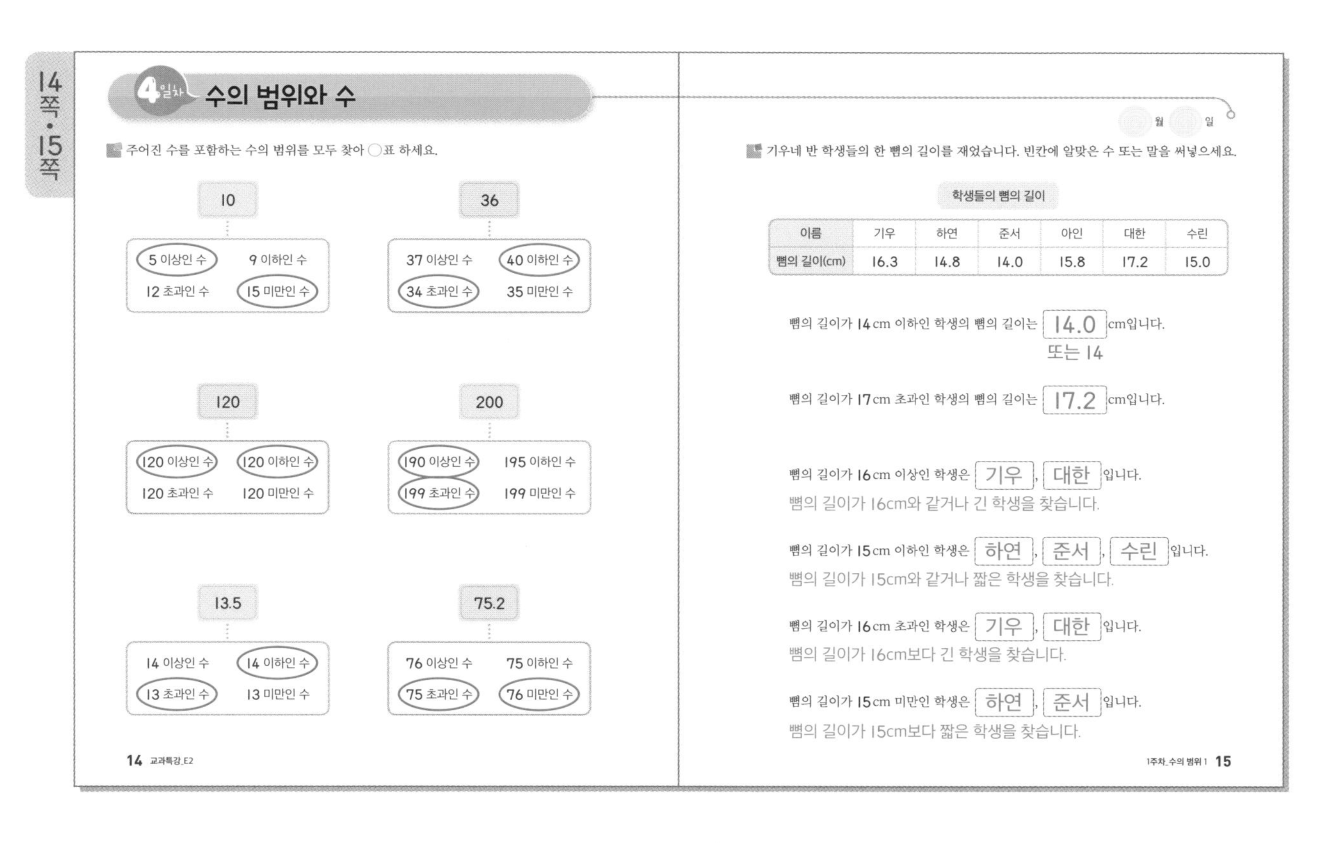

14쪽·15쪽

4일차 수의 범위와 수

주어진 수를 포함하는 수의 범위를 모두 찾아 ○표 하세요.

10: (5 이상인 수), 9 이하인 수, 12 초과인 수, (15 미만인 수)

36: 37 이상인 수, (40 이하인 수), (34 초과인 수), 35 미만인 수

120: (120 이상인 수), (120 이하인 수), 120 초과인 수, 120 미만인 수

200: (190 이상인 수), 195 이하인 수, (199 초과인 수), 199 미만인 수

13.5: 14 이상인 수, (14 이하인 수), (13 초과인 수), 13 미만인 수

75.2: 76 이상인 수, 75 이하인 수, (75 초과인 수), (76 미만인 수)

월 일

기우네 반 학생들의 한 뼘의 길이를 재었습니다. 빈칸에 알맞은 수 또는 말을 써넣으세요.

학생들의 뼘의 길이

이름	기우	하연	준서	아인	대한	수린
뼘의 길이(cm)	16.3	14.8	14.0	15.8	17.2	15.0

뼘의 길이가 14 cm 이하인 학생의 뼘의 길이는 [14.0] cm입니다.
또는 14

뼘의 길이가 17 cm 초과인 학생의 뼘의 길이는 [17.2] cm입니다.

뼘의 길이가 16 cm 이상인 학생은 [기우], [대한]입니다.
뼘의 길이가 16cm와 같거나 긴 학생을 찾습니다.

뼘의 길이가 15 cm 이하인 학생은 [하연], [준서], [수린]입니다.
뼘의 길이가 15cm와 같거나 짧은 학생을 찾습니다.

뼘의 길이가 16 cm 초과인 학생은 [기우], [대한]입니다.
뼘의 길이가 16cm보다 긴 학생을 찾습니다.

뼘의 길이가 15 cm 미만인 학생은 [하연], [준서]입니다.
뼘의 길이가 15cm보다 짧은 학생을 찾습니다.

정답

16쪽 · 17쪽

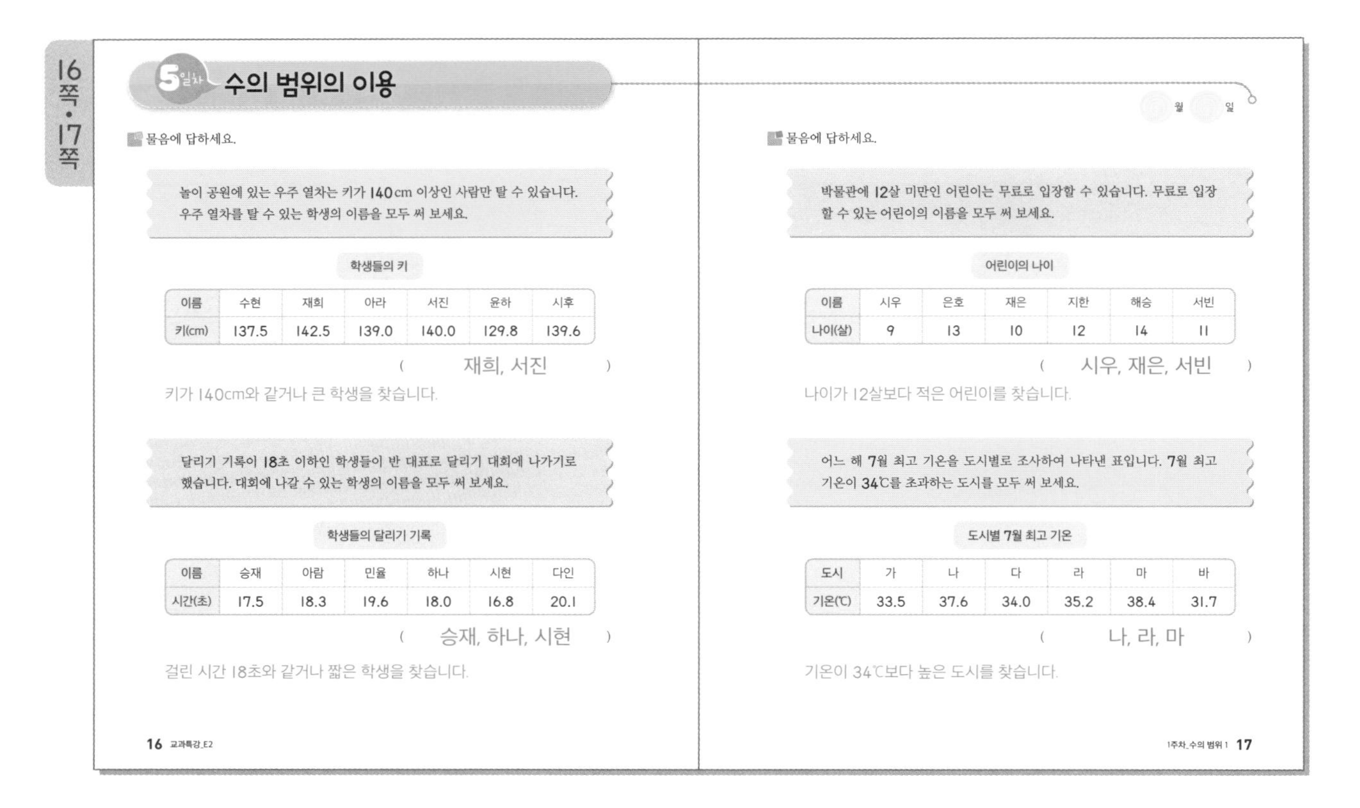

5일차 수의 범위의 이용

월 일

■ 물음에 답하세요.

놀이 공원에 있는 우주 열차는 키가 140 cm 이상인 사람만 탈 수 있습니다. 우주 열차를 탈 수 있는 학생의 이름을 모두 써 보세요.

학생들의 키

이름	수현	재희	아라	서진	윤하	시후
키(cm)	137.5	142.5	139.0	140.0	129.8	139.6

(재희, 서진)

키가 140cm와 같거나 큰 학생을 찾습니다.

달리기 기록이 18초 이하인 학생들이 반 대표로 달리기 대회에 나가기로 했습니다. 대회에 나갈 수 있는 학생의 이름을 모두 써 보세요.

학생들의 달리기 기록

이름	승재	아람	민율	하나	시현	다인
시간(초)	17.5	18.3	19.6	18.0	16.8	20.1

(승재, 하나, 시현)

걸린 시간 18초와 같거나 짧은 학생을 찾습니다.

16 교과특강_E2

■ 물음에 답하세요.

박물관에 12살 미만인 어린이는 무료로 입장할 수 있습니다. 무료로 입장할 수 있는 어린이의 이름을 모두 써 보세요.

어린이의 나이

이름	시우	은호	재은	지한	해승	서빈
나이(살)	9	13	10	12	14	11

(시우, 재은, 서빈)

나이가 12살보다 적은 어린이를 찾습니다.

어느 해 7월 최고 기온을 도시별로 조사하여 나타낸 표입니다. 7월 최고 기온이 34℃를 초과하는 도시를 모두 써 보세요.

도시별 7월 최고 기온

도시	가	나	다	라	마	바
기온(℃)	33.5	37.6	34.0	35.2	38.4	31.7

(나, 라, 마)

기온이 34℃보다 높은 도시를 찾습니다.

1주차_수의 범위 1 17

18쪽

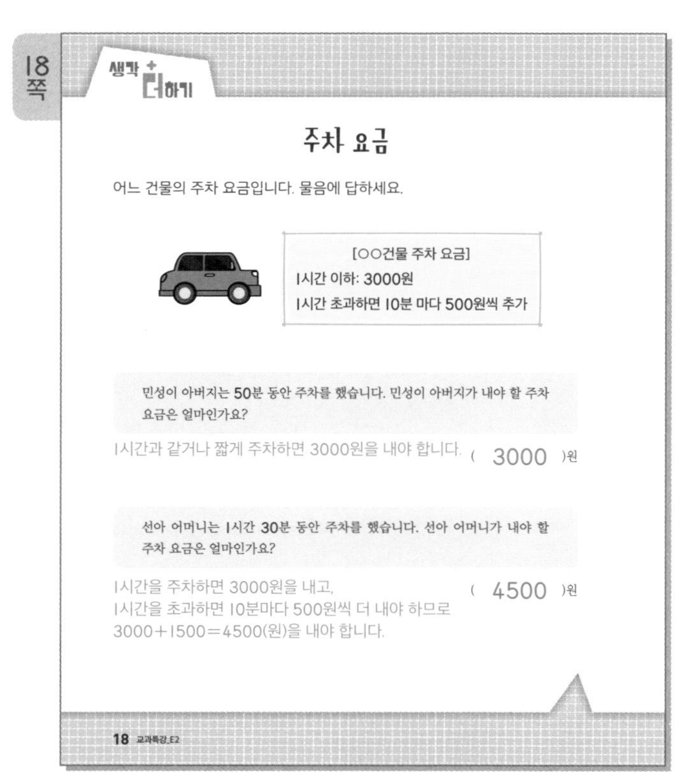

생각 + 더하기

주차 요금

어느 건물의 주차 요금입니다. 물음에 답하세요.

[○○건물 주차 요금]
1시간 이하: 3000원
1시간 초과하면 10분 마다 500원씩 추가

민성이 아버지는 50분 동안 주차를 했습니다. 민성이 아버지가 내야 할 주차 요금은 얼마인가요?

(3000)원

1시간과 같거나 짧게 주차하면 3000원을 내야 합니다.

선아 어머니는 1시간 30분 동안 주차를 했습니다. 선아 어머니가 내야 할 주차 요금은 얼마인가요?

(4500)원

1시간을 주차하면 3000원을 내고,
1시간을 초과하면 10분마다 500원씩 더 내야 하므로
3000+1500=4500(원)을 내야 합니다.

18 교과특강_E2

2주차: 수의 범위 2

20쪽·21쪽

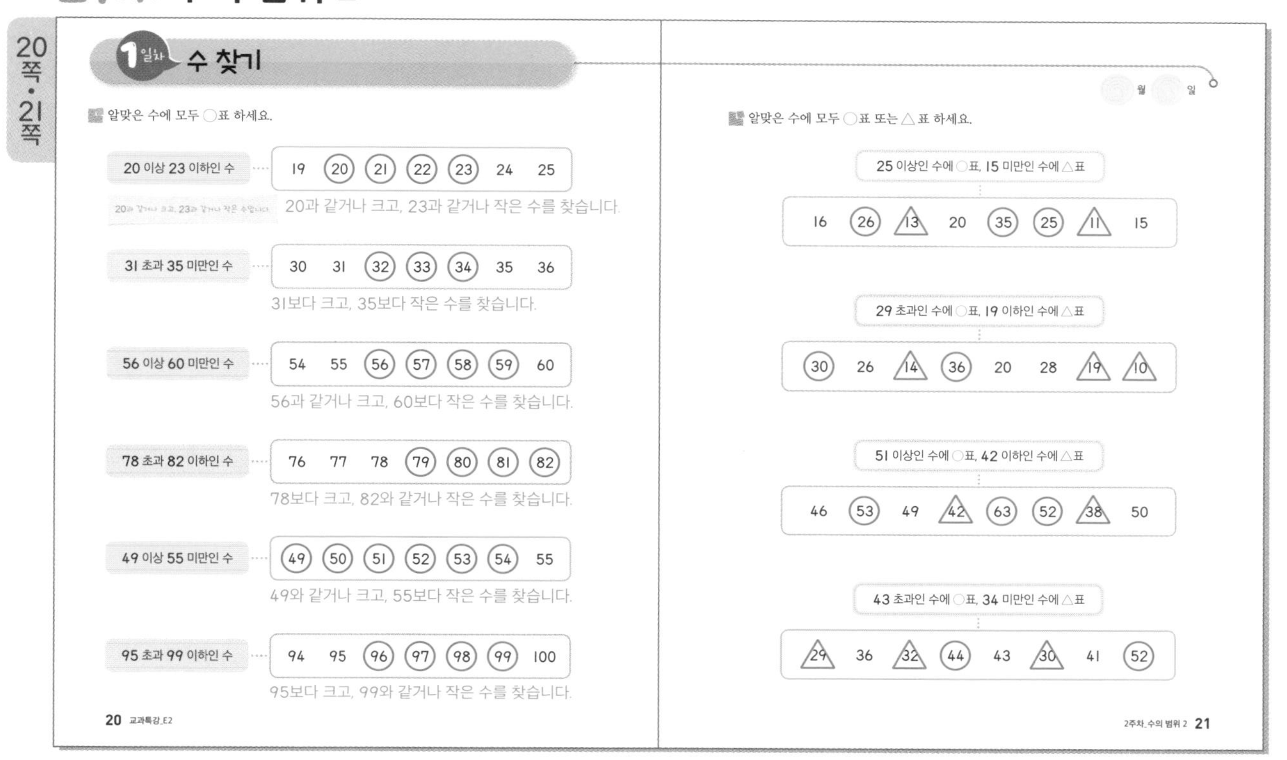

1일차 수 찾기

알맞은 수에 모두 ○표 하세요.

20 이상 23 이하인 수 …… 19 (20) (21) (22) (23) 24 25

20과 같거나 크고, 23과 같거나 작은 수를 찾습니다.

31 초과 35 미만인 수 …… 30 31 (32) (33) (34) 35 36

31보다 크고, 35보다 작은 수를 찾습니다.

56 이상 60 미만인 수 …… 54 55 (56) (57) (58) (59) 60

56과 같거나 크고, 60보다 작은 수를 찾습니다.

78 초과 82 이하인 수 …… 76 77 78 (79) (80) (81) (82)

78보다 크고, 82와 같거나 작은 수를 찾습니다.

49 이상 55 미만인 수 …… (49) (50) (51) (52) (53) (54) 55

49와 같거나 크고, 55보다 작은 수를 찾습니다.

95 초과 99 이하인 수 …… 94 95 (96) (97) (98) (99) 100

95보다 크고, 99와 같거나 작은 수를 찾습니다.

20 교과특강_E2

월 일

알맞은 수에 모두 ○표 또는 △표 하세요.

25 이상인 수에 ○표, 15 미만인 수에 △표

16 (26) △13 20 (35) (25) △11 15

29 초과인 수에 ○표, 19 이하인 수에 △표

(30) 26 △14 (36) 20 28 △19 △10

51 이상인 수에 ○표, 42 이하인 수에 △표

46 (53) 49 △42 (63) (52) △38 50

43 초과인 수에 ○표, 34 미만인 수에 △표

△29 36 △32 (44) 43 △30 41 (52)

2주차_수의 범위 2 21

22쪽·23쪽

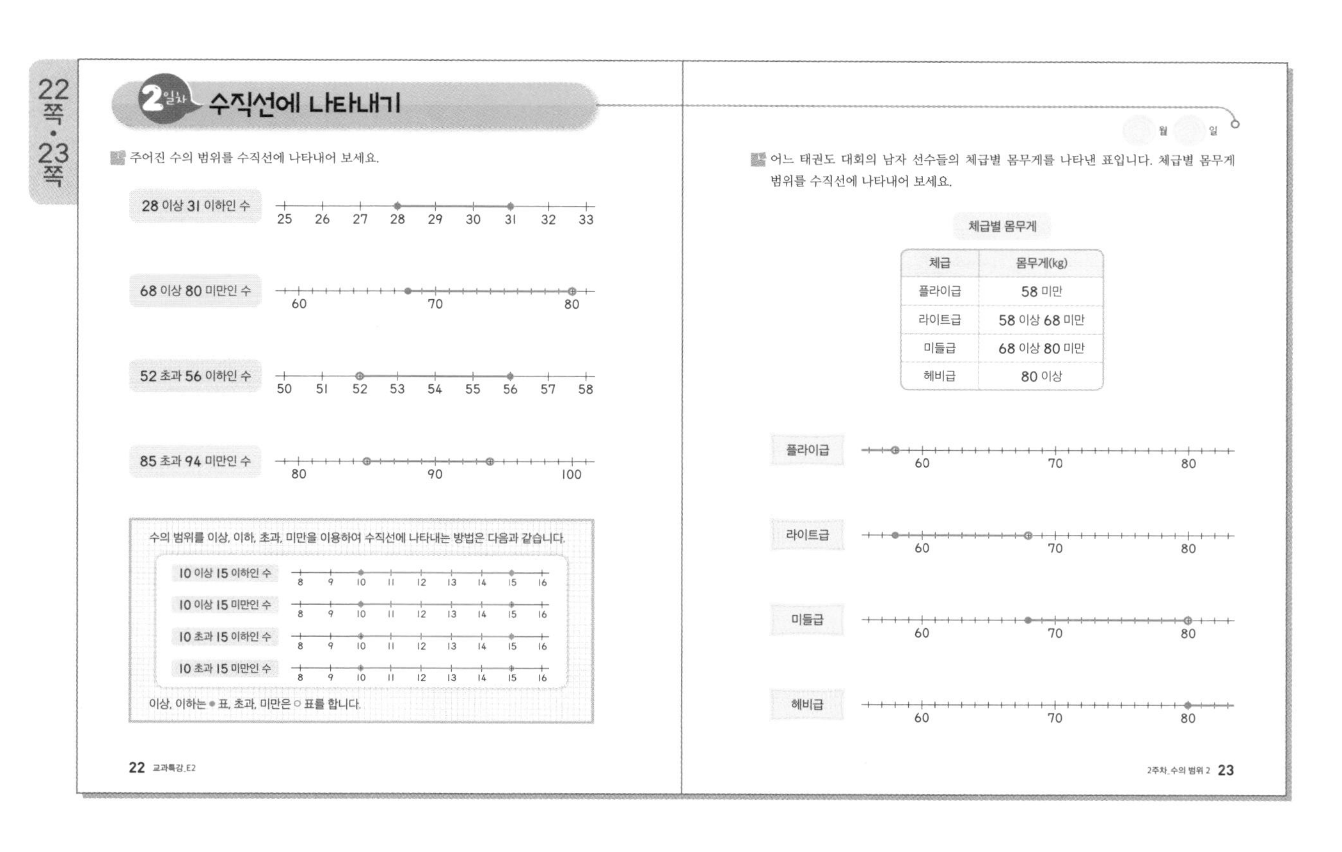

2일차 수직선에 나타내기

주어진 수의 범위를 수직선에 나타내어 보세요.

28 이상 31 이하인 수 — 25 26 27 28 29 30 31 32 33

68 이상 80 미만인 수 — 60 70 80

52 초과 56 이하인 수 — 50 51 52 53 54 55 56 57 58

85 초과 94 미만인 수 — 80 90 100

수의 범위를 이상, 이하, 초과, 미만을 이용하여 수직선에 나타내는 방법은 다음과 같습니다.

10 이상 15 이하인 수 — 8 9 10 11 12 13 14 15 16

10 이상 15 미만인 수 — 8 9 10 11 12 13 14 15 16

10 초과 15 이하인 수 — 8 9 10 11 12 13 14 15 16

10 초과 15 미만인 수 — 8 9 10 11 12 13 14 15 16

이상, 이하는 ● 표, 초과, 미만은 ○ 표를 합니다.

22 교과특강_E2

월 일

어느 태권도 대회의 남자 선수들의 체급별 몸무게를 나타낸 표입니다. 체급별 몸무게 범위를 수직선에 나타내어 보세요.

체급별 몸무게

체급	몸무게(kg)
플라이급	58 미만
라이트급	58 이상 68 미만
미들급	68 이상 80 미만
헤비급	80 이상

플라이급 — 60 70 80

라이트급 — 60 70 80

미들급 — 60 70 80

헤비급 — 60 70 80

2주차_수의 범위 2 23

24쪽·25쪽

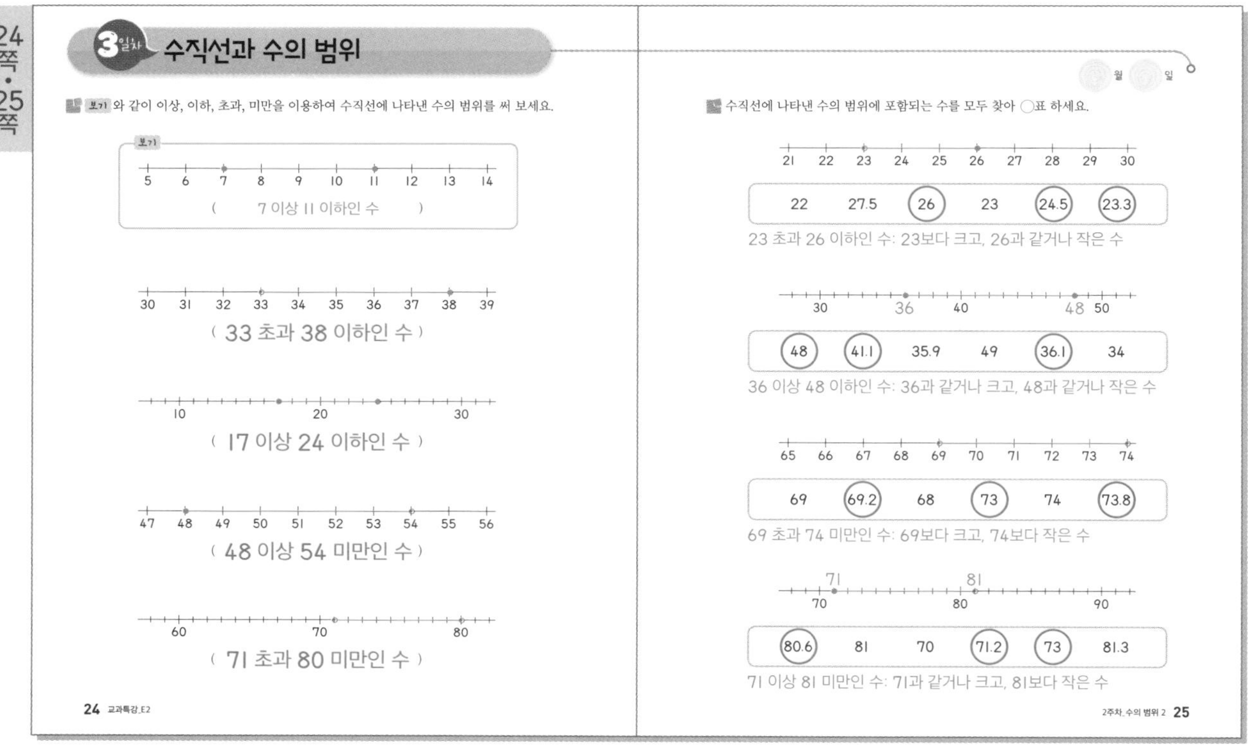

3일차 수직선과 수의 범위

1 보기 와 같이 이상, 이하, 초과, 미만을 이용하여 수직선에 나타낸 수의 범위를 써 보세요.

보기
5 6 7 8 9 10 11 12 13 14
(7 이상 11 이하인 수)

30 31 32 33 34 35 36 37 38 39
(33 초과 38 이하인 수)

10 20 30
(17 이상 24 이하인 수)

47 48 49 50 51 52 53 54 55 56
(48 이상 54 미만인 수)

60 70 80
(71 초과 80 미만인 수)

2 수직선에 나타낸 수의 범위에 포함되는 수를 모두 찾아 ○표 하세요.

21 22 23 24 25 26 27 28 29 30

22, 27.5, (26), 23, (24.5), (23.3)

23 초과 26 이하인 수: 23보다 크고, 26과 같거나 작은 수

30 36 40 48 50

(48), (41.1), 35.9, 49, (36.1), 34

36 이상 48 이하인 수: 36과 같거나 크고, 48과 같거나 작은 수

65 66 67 68 69 70 71 72 73 74

69, (69.2), 68, (73), 74, (73.8)

69 초과 74 미만인 수: 69보다 크고, 74보다 작은 수

71 81
70 80 90

(80.6), 81, 70, (71.2), (73), 81.3

71 이상 81 미만인 수: 71과 같거나 크고, 81보다 작은 수

24 교과특강_E2 · 2주차_수의 범위 2 25

26쪽·27쪽

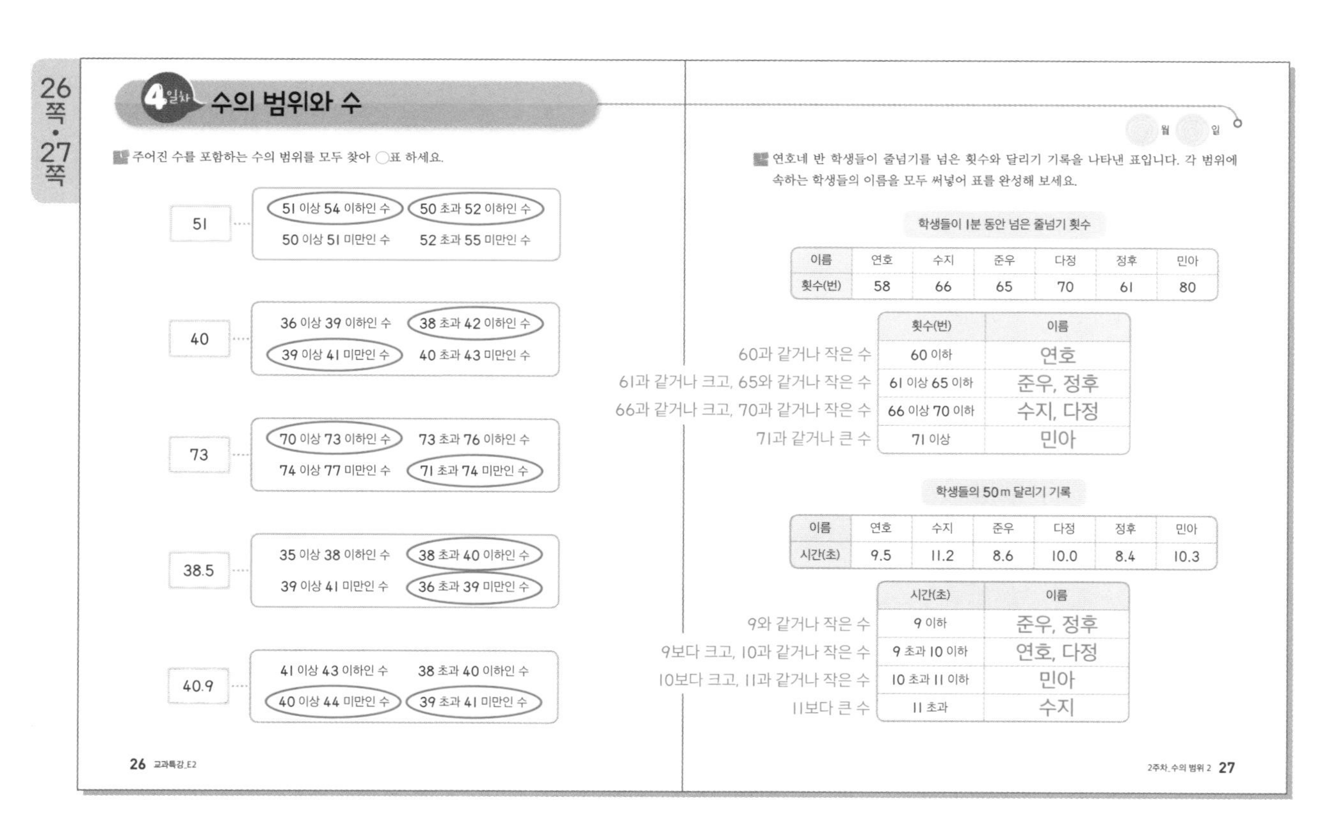

4일차 수의 범위와 수

1 주어진 수를 포함하는 수의 범위를 모두 찾아 ○표 하세요.

51 …… (51 이상 54 이하인 수), (50 초과 52 이하인 수), 50 이상 51 미만인 수, 52 초과 55 미만인 수

40 …… 36 이상 39 이하인 수, (38 초과 42 이하인 수), (39 이상 41 미만인 수), 40 초과 43 미만인 수

73 …… (70 이상 73 이하인 수), 73 초과 76 이하인 수, 74 이상 77 미만인 수, (71 초과 74 미만인 수)

38.5 …… 35 이상 38 이하인 수, (38 초과 40 이하인 수), 39 이상 41 미만인 수, (36 초과 39 미만인 수)

40.9 …… 41 이상 43 이하인 수, 38 초과 40 이하인 수, (40 이상 44 미만인 수), (39 초과 41 미만인 수)

2 연호네 반 학생들이 줄넘기를 넘은 횟수와 달리기 기록을 나타낸 표입니다. 각 범위에 속하는 학생들의 이름을 모두 써넣어 표를 완성해 보세요.

학생들이 1분 동안 넘은 줄넘기 횟수

이름	연호	수지	준우	다정	정후	민아
횟수(번)	58	66	65	70	61	80

	횟수(번)	이름
60과 같거나 작은 수	60 이하	연호
61과 같거나 크고, 65와 같거나 작은 수	61 이상 65 이하	준우, 정후
66과 같거나 크고, 70과 같거나 작은 수	66 이상 70 이하	수지, 다정
71과 같거나 큰 수	71 이상	민아

학생들의 50 m 달리기 기록

이름	연호	수지	준우	다정	정후	민아
시간(초)	9.5	11.2	8.6	10.0	8.4	10.3

	시간(초)	이름
9와 같거나 작은 수	9 이하	준우, 정후
9보다 크고, 10과 같거나 작은 수	9 초과 10 이하	연호, 다정
10보다 크고, 11과 같거나 작은 수	10 초과 11 이하	민아
11보다 큰 수	11 초과	수지

26 교과특강_E2 · 2주차_수의 범위 2 27

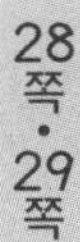

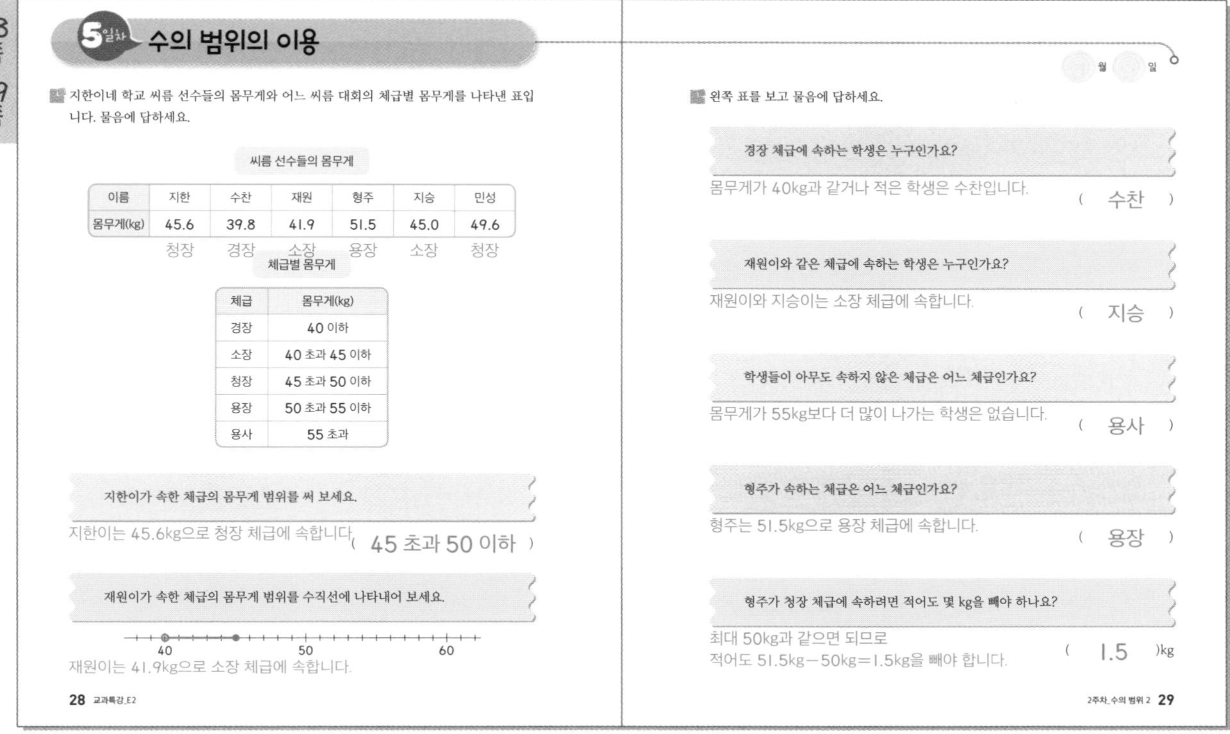

5일차 수의 범위의 이용

월 일

지한이네 학교 씨름 선수들의 몸무게와 어느 씨름 대회의 체급별 몸무게를 나타낸 표입니다. 물음에 답하세요.

씨름 선수들의 몸무게

이름	지한	수찬	재원	형주	지승	민성
몸무게(kg)	45.6	39.8	41.9	51.5	45.0	49.6
	청장	경장	소장	용장	소장	청장

체급별 몸무게

체급	몸무게(kg)
경장	40 이하
소장	40 초과 45 이하
청장	45 초과 50 이하
용장	50 초과 55 이하
용사	55 초과

지한이가 속한 체급의 몸무게 범위를 써 보세요.

지한이는 45.6kg으로 청장 체급에 속합니다. (45 초과 50 이하)

재원이가 속한 체급의 몸무게 범위를 수직선에 나타내어 보세요.

40 50 60

재원이는 41.9kg으로 소장 체급에 속합니다.

왼쪽 표를 보고 물음에 답하세요.

경장 체급에 속하는 학생은 누구인가요?

몸무게가 40kg과 같거나 적은 학생은 수찬입니다. (수찬)

재원이와 같은 체급에 속하는 학생은 누구인가요?

재원이와 지승이는 소장 체급에 속합니다. (지승)

학생들이 아무도 속하지 않은 체급은 어느 체급인가요?

몸무게가 55kg보다 더 많이 나가는 학생은 없습니다. (용사)

형주가 속하는 체급은 어느 체급인가요?

형주는 51.5kg으로 용장 체급에 속합니다. (용장)

형주가 청장 체급에 속하려면 적어도 몇 kg을 빼야 하나요?

최대 50kg과 같으면 되므로
적어도 51.5kg－50kg＝1.5kg을 빼야 합니다. (1.5)kg

30쪽

생각 더하기

식물원 입장료

식물원 입장료가 다음과 같습니다. 12세인 예준이, 15세인 형, 43세인 어머니, 45세인 아버지, 65세인 할머니가 입장하려면 입장료는 모두 얼마일까요?

식물원 입장료

구분	요금(원)
어린이	2000원
청소년	3000원
어른	5000원

- 어린이: 6세 이상 12세 이하
- 청소년: 13세 이상 18세 이하
- 어른: 19세 이상 65세 미만
- 5세 이하와 65세 이상은 무료

(15000)원

예준: 어린이 → 2000원
형: 청소년 → 3000원
어머니: 어른 → 5000원
아버지: 어른 → 5000원
할머니: 무료
2000＋3000＋5000＋5000＝15000(원)

3주차: 어림하기 1

32쪽 · 33쪽

1일차 올림

월 일

올림하여 주어진 자리까지 나타내어 보세요.

수	십의 자리	백의 자리
382	390	400
703	710	800

382를 올림하여
십의 자리까지: 382 → 390
백의 자리까지: 382 → 400

703을 올림하여
십의 자리까지: 703 → 710
백의 자리까지: 703 → 800

수	십의 자리	백의 자리	천의 자리
2056	2060	2100	3000
6197	6200	6200	7000

2056을 올림하여
십의 자리까지: 2056 → 2060
백의 자리까지: 2056 → 2100
천의 자리까지: 2056 → 3000

6197을 올림하여
십의 자리까지: 6197 → 6200 (십의 자리 숫자가 9이므로 6200)
백의 자리까지: 6197 → 6200
천의 자리까지: 6197 → 7000

TIP) 올림하여
십의 자리까지 나타내면 일의 자리 숫자는 0, 십의 자리 숫자는 1 커집니다.
백의 자리까지 나타내면 십, 일의 자리 숫자는 0, 백의 자리 숫자는 1 커집니다.
천의 자리까지 나타내면 백, 십, 일의 자리 숫자는 0, 천의 자리 숫자는 1 커집니다.
만의 자리까지 나타내면 천, 백, 십, 일의 자리 숫자는 0, 만의 자리 숫자는 1 커집니다.
단, 자리 아래 수가 0이어서 올림하여도 그대로인 경우는 제외합니다.

빈칸에 알맞은 수를 써넣으세요.

43[3]을 올림하여 십의 자리까지 나타내면 [440]입니다.
→ 440

55[20]을 올림하여 백의 자리까지 나타내면 [5600]입니다.
→ 5600

23[700]을 올림하여 천의 자리까지 나타내면 [24000]입니다.
→ 24000

3[6600]을 올림하여 만의 자리까지 나타내면 [40000]입니다.
→ 40000

→ 1.16
1.15[5]를 올림하여 소수 둘째 자리까지 나타내면 1.16입니다.
소수 둘째 자리의 아래 수인 0.005를 0.01로 봅니다.

5.10[1]을 올림하여 소수 둘째 자리까지 나타내면 [5.11]입니다.
→ 5.11

3.4[67]을 올림하여 소수 첫째 자리까지 나타내면 [3.5]입니다.
→ 3.5

7.9[9]를 올림하여 소수 첫째 자리까지 나타내면 [8.0]입니다.
→ 8.0
또는 8

34쪽 · 35쪽

2일차 버림

월 일

버림하여 주어진 자리까지 나타내어 보세요.

수	십의 자리	백의 자리
421	420	400
849	840	800

421을 버림하여
십의 자리까지: 421 → 420
백의 자리까지: 421 → 400

849를 버림하여
십의 자리까지: 849 → 840
백의 자리까지: 849 → 800

수	십의 자리	백의 자리	천의 자리
5823	5820	5800	5000
3634	3630	3600	3000

5823을 버림하여
십의 자리까지: 5823 → 5820
백의 자리까지: 5823 → 5800
천의 자리까지: 5823 → 5000

3634를 버림하여
십의 자리까지: 3634 → 3630
백의 자리까지: 3634 → 3600
천의 자리까지: 3634 → 3000

TIP) 버림하여
십의 자리까지 나타내면 일의 자리 숫자는 0, 십의 자리 숫자는 변하지 않습니다.
백의 자리까지 나타내면 십, 일의 자리 숫자는 0, 백의 자리 숫자는 변하지 않습니다.
천의 자리까지 나타내면 백, 십, 일의 자리 숫자는 0, 천의 자리 숫자는 변하지 않습니다.
만의 자리까지 나타내면 천, 백, 십, 일의 자리 숫자는 0, 만의 자리 숫자는 변하지 않습니다.

빈칸에 알맞은 수를 써넣으세요.

64[8]을 버림하여 십의 자리까지 나타내면 [640]입니다.
→ 640

16[30]을 버림하여 백의 자리까지 나타내면 [1600]입니다.
→ 1600

55[670]을 버림하여 천의 자리까지 나타내면 [55000]입니다.
→ 55000

3[9405]를 버림하여 만의 자리까지 나타내면 [30000]입니다.
→ 30000

→ 3.45
3.45[6]을 버림하여 소수 둘째 자리까지 나타내면 3.45입니다.
소수 둘째 자리의 아래 수인 0.006을 0으로 봅니다.

1.37[3]을 버림하여 소수 둘째 자리까지 나타내면 [1.37]입니다.
→ 1.37

9.9[54]를 버림하여 소수 첫째 자리까지 나타내면 [9.9]입니다.
→ 9.9

0.6[5]를 버림하여 소수 첫째 자리까지 나타내면 [0.6]입니다.
→ 0.6

36쪽·37쪽

3일차 반올림

반올림하여 주어진 자리까지 나타내어 보세요.

수	십의 자리	백의 자리
137	140	100
552	550	600

137을 반올림하여
십의 자리까지: 137 → 140
백의 자리까지: 137 → 100

552를 반올림하여
십의 자리까지: 552 → 550
백의 자리까지: 552 → 600

수	십의 자리	백의 자리	천의 자리
8206	8210	8200	8000
3951	3950	4000	4000

8206을 반올림하여
십의 자리까지: 8206 → 8210
백의 자리까지: 8206 → 8200
천의 자리까지: 8206 → 8000

3951을 반올림하여
십의 자리까지: 3951 → 3950
백의 자리까지: 3951 → 4000 (백의 자리 숫자가 9이므로 4000)
천의 자리까지: 3951 → 4000

TIP) 반올림하여
십의 자리까지 나타내면 일의 자리 숫자는 0입니다.
백의 자리까지 나타내면 십, 일의 자리 숫자는 0입니다.
천의 자리까지 나타내면 백, 십, 일의 자리 숫자는 0입니다.
만의 자리까지 나타내면 천, 백, 십, 일의 자리 숫자는 0입니다.

월 일

빈칸에 알맞은 수를 써넣으세요.

323을 반올림하여 십의 자리까지 나타내면 320입니다.
→ 320

2005를 반올림하여 백의 자리까지 나타내면 2000입니다.
→ 2000

87654를 반올림하여 천의 자리까지 나타내면 88000입니다.
→ 88000

12550을 반올림하여 만의 자리까지 나타내면 10000입니다.
→ 10000

→ 5.03
5.026을 반올림하여 소수 둘째 자리까지 나타내면 5.03입니다.
소수 셋째 자리 숫자가 6이므로 0.006을 0.01로 봅니다.

0.462를 반올림하여 소수 둘째 자리까지 나타내면 0.46입니다.
→ 0.46

8.083을 반올림하여 소수 첫째 자리까지 나타내면 8.1입니다.
→ 8.1

1.94를 반올림하여 소수 첫째 자리까지 나타내면 1.9입니다.
→ 1.9

38쪽·39쪽

4일차 올림, 버림, 반올림

올림, 버림, 반올림하여 주어진 자리까지 나타내어 보세요.

수	올림하여 십의 자리	버림하여 십의 자리	반올림하여 십의 자리
351	360	350	350
2208	2210	2200	2210

351에서 올림은 1을 10으로, 버림은 1을 0으로, 반올림은 일의 자리 숫자가 1이므로 1을 0으로 봅니다.

수	올림하여 백의 자리	버림하여 백의 자리	반올림하여 백의 자리
7160	7200	7100	7200
15342	15400	15300	15300

수	올림하여 천의 자리	버림하여 천의 자리	반올림하여 천의 자리
6054	7000	6000	6000
33950	34000	33000	34000

7.2를 일의 자리까지 나타낼 때
올림하면 일의 자리 아래 수인 0.2를 1로 봅니다. 7.2 → 8

수	올림하여 일의 자리	버림하여 일의 자리	반올림하여 일의 자리
7.2	8	7	7
15.5	16	15	16

버림하면 일의 자리 아래 수인 0.2를 0으로 봅니다. 7.2 → 7
반올림하면 소수 첫째 자리 숫자가 2이므로 0.2를 0으로 봅니다. 7.2 → 7

월 일

가장 큰 수를 나타내는 것부터 차례로 기호를 써 보세요.

㉠ 1848을 올림하여 십의 자리까지 나타낸 수
㉡ 1848을 올림하여 백의 자리까지 나타낸 수
㉢ 1848을 올림하여 천의 자리까지 나타낸 수

㉠ 1848 → 1850
㉡ 1848 → 1900
㉢ 1848 → 2000
(㉢ , ㉡ , ㉠)

㉠ 3524를 버림하여 십의 자리까지 나타낸 수
㉡ 3524를 버림하여 백의 자리까지 나타낸 수
㉢ 3524를 버림하여 천의 자리까지 나타낸 수

㉠ 3524 → 3520
㉡ 3524 → 3500
㉢ 3524 → 3000
(㉠ , ㉡ , ㉢)

㉠ 509를 올림하여 백의 자리까지 나타낸 수
㉡ 509를 버림하여 백의 자리까지 나타낸 수
㉢ 509를 반올림하여 십의 자리까지 나타낸 수

㉠ 509 → 600
㉡ 509 → 500
㉢ 509 → 510
(㉠ , ㉢ , ㉡)

㉠ 2153을 올림하여 십의 자리까지 나타낸 수
㉡ 2153을 버림하여 천의 자리까지 나타낸 수
㉢ 2153을 반올림하여 백의 자리까지 나타낸 수

㉠ 2153 → 2160
㉡ 2153 → 2000
㉢ 2153 → 2200
(㉢ , ㉠ , ㉡)

40쪽·41쪽

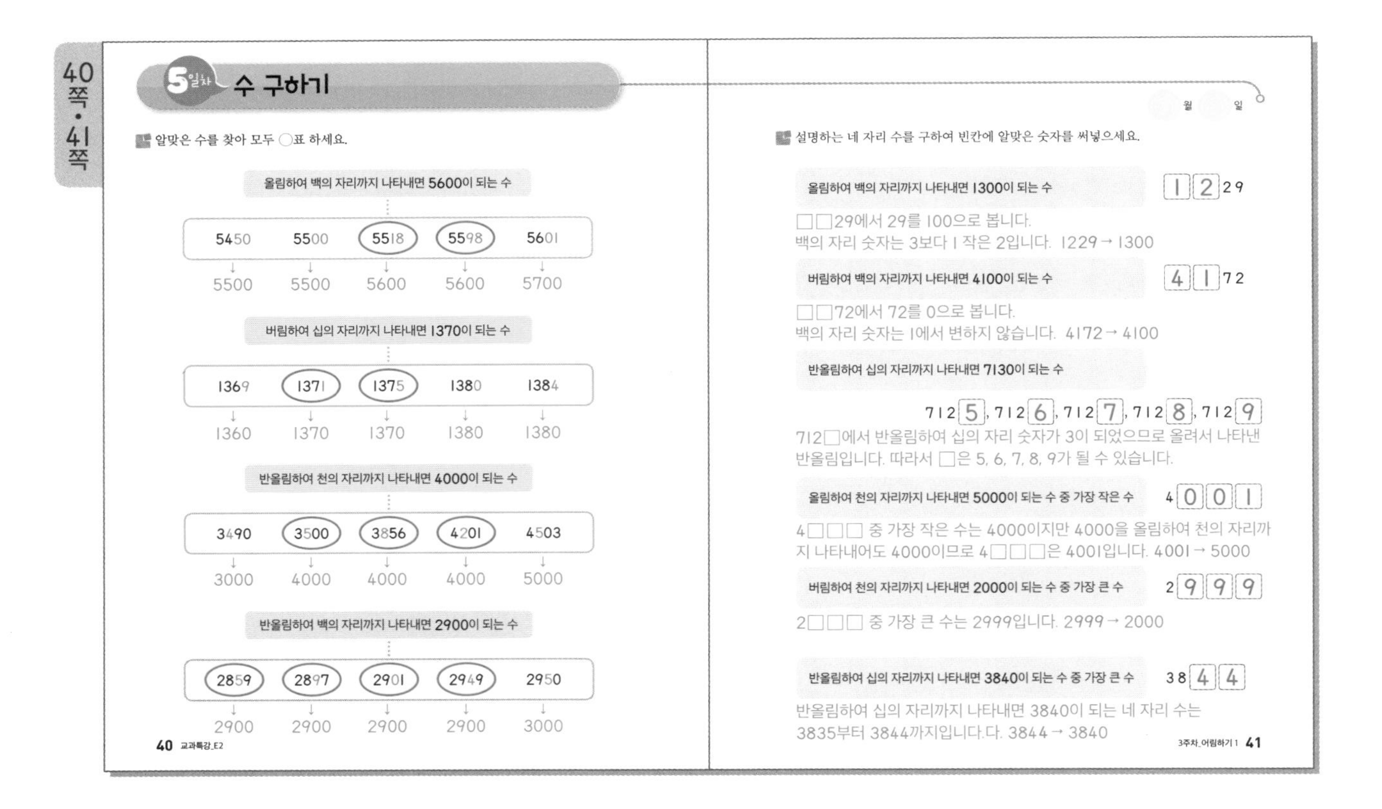

5일차 수 구하기

■ 알맞은 수를 찾아 모두 ○표 하세요.

올림하여 백의 자리까지 나타내면 5600이 되는 수

5450	5500	(5518)	(5598)	5601
↓ 5500	↓ 5500	↓ 5600	↓ 5600	↓ 5700

버림하여 십의 자리까지 나타내면 1370이 되는 수

1369	(1371)	(1375)	1380	1384
↓ 1360	↓ 1370	↓ 1370	↓ 1380	↓ 1380

반올림하여 천의 자리까지 나타내면 4000이 되는 수

3490	(3500)	(3856)	(4201)	4503
↓ 3000	↓ 4000	↓ 4000	↓ 4000	↓ 5000

반올림하여 백의 자리까지 나타내면 2900이 되는 수

(2859)	(2897)	(2901)	(2949)	2950
↓ 2900	↓ 2900	↓ 2900	↓ 2900	↓ 3000

40 교과특강_E2

월 일

■ 설명하는 네 자리 수를 구하여 빈칸에 알맞은 숫자를 써넣으세요.

올림하여 백의 자리까지 나타내면 1300이 되는 수 — 1 2 29

□□29에서 29를 100으로 봅니다.
백의 자리 숫자는 3보다 1 작은 2입니다. 1229 → 1300

버림하여 백의 자리까지 나타내면 4100이 되는 수 — 4 1 72

□□72에서 72를 0으로 봅니다.
백의 자리 숫자는 1에서 변하지 않습니다. 4172 → 4100

반올림하여 십의 자리까지 나타내면 7130이 되는 수

712 5, 712 6, 712 7, 712 8, 712 9

712□에서 반올림하여 십의 자리 숫자가 3이 되었으므로 올려서 나타낸 반올림입니다. 따라서 □은 5, 6, 7, 8, 9가 될 수 있습니다.

올림하여 천의 자리까지 나타내면 5000이 되는 수 중 가장 작은 수 — 4 0 0 1

4□□□ 중 가장 작은 수는 4000이지만 4000을 올림하여 천의 자리까지 나타내어도 4000이므로 4□□□은 4001입니다. 4001 → 5000

버림하여 천의 자리까지 나타내면 2000이 되는 수 중 가장 큰 수 — 2 9 9 9

2□□□ 중 가장 큰 수는 2999입니다. 2999 → 2000

반올림하여 십의 자리까지 나타내면 3840이 되는 수 중 가장 큰 수 — 38 4 4

반올림하여 십의 자리까지 나타내면 3840이 되는 네 자리 수는 3835부터 3844까지입니다.다. 3844 → 3840

3주차_어림하기 1 41

42쪽

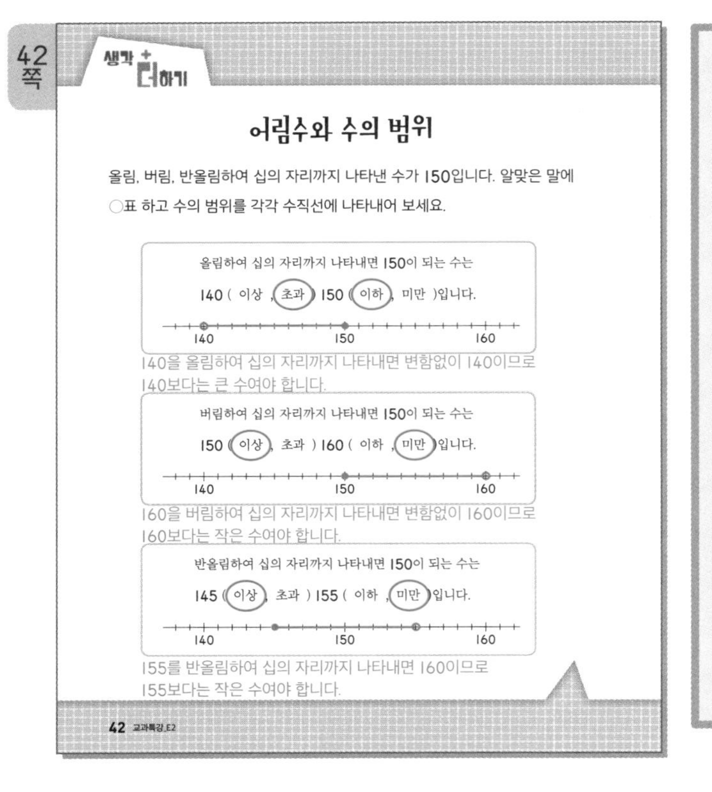

생각 더하기

어림수와 수의 범위

올림, 버림, 반올림하여 십의 자리까지 나타낸 수가 150입니다. 알맞은 말에 ○표 하고 수의 범위를 각각 수직선에 나타내어 보세요.

올림하여 십의 자리까지 나타내면 150이 되는 수는
140 (이상 , (초과)) 150 ((이하) , 미만)입니다.

140을 올림하여 십의 자리까지 나타내면 변함없이 140이므로 140보다는 큰 수여야 합니다.

버림하여 십의 자리까지 나타내면 150이 되는 수는
150 ((이상) , 초과) 160 (이하 , (미만))입니다.

160을 버림하여 십의 자리까지 나타내면 변함없이 160이므로 160보다는 작은 수여야 합니다.

반올림하여 십의 자리까지 나타내면 150이 되는 수는
145 ((이상) , 초과) 155 (이하 , (미만))입니다.

155를 반올림하여 십의 자리까지 나타내면 160이므로 155보다는 작은 수여야 합니다.

42 교과특강_E2

| 어림하기 전 원래 수의 범위 |

수를 어림할 때는 자연수 뿐만 아니라 소수 자리까지 생각해야 합니다.
올림하여 십의 자리까지 나타내면 150이 되는 수는 140 초과 150 이하인 수입니다.
140.1을 올림하여 십의 자리까지 나타내면 150이므로 자연수만 생각하여 141 이상 150 이하라고 하지 않도록 주의해야 합니다.
버림하여 십의 자리까지 나타내면 150이 되는 수는 150 이상 160 미만인 수이고, 150 이상 159 이하라고 하지 않도록 주의합니다.
반올림하여 십의 자리까지 나타내면 150이 되는 수는 145 이상 155 미만인 수이고, 145 이상 154 이하라고 하지 않도록 주의합니다.

4주차: 어림하기 2

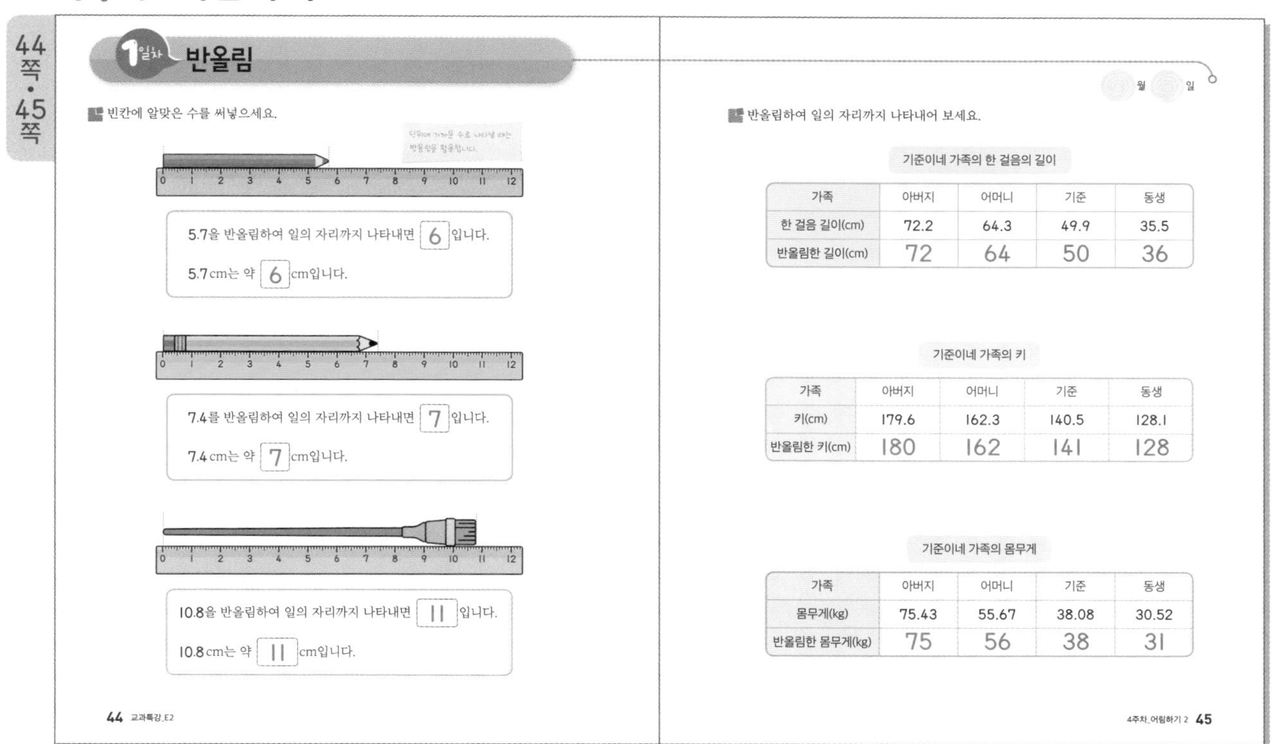

44쪽・45쪽

1일차 반올림

■ 빈칸에 알맞은 수를 써넣으세요.

5.7을 반올림하여 일의 자리까지 나타내면 6 입니다.

5.7 cm는 약 6 cm입니다.

7.4를 반올림하여 일의 자리까지 나타내면 7 입니다.

7.4 cm는 약 7 cm입니다.

10.8을 반올림하여 일의 자리까지 나타내면 11 입니다.

10.8 cm는 약 11 cm입니다.

월 일

■ 반올림하여 일의 자리까지 나타내어 보세요.

기준이네 가족의 한 걸음의 길이

가족	아버지	어머니	기준	동생
한 걸음 길이(cm)	72.2	64.3	49.9	35.5
반올림한 길이(cm)	72	64	50	36

기준이네 가족의 키

가족	아버지	어머니	기준	동생
키(cm)	179.6	162.3	140.5	128.1
반올림한 키(cm)	180	162	141	128

기준이네 가족의 몸무게

가족	아버지	어머니	기준	동생
몸무게(kg)	75.43	55.67	38.08	30.52
반올림한 몸무게(kg)	75	56	38	31

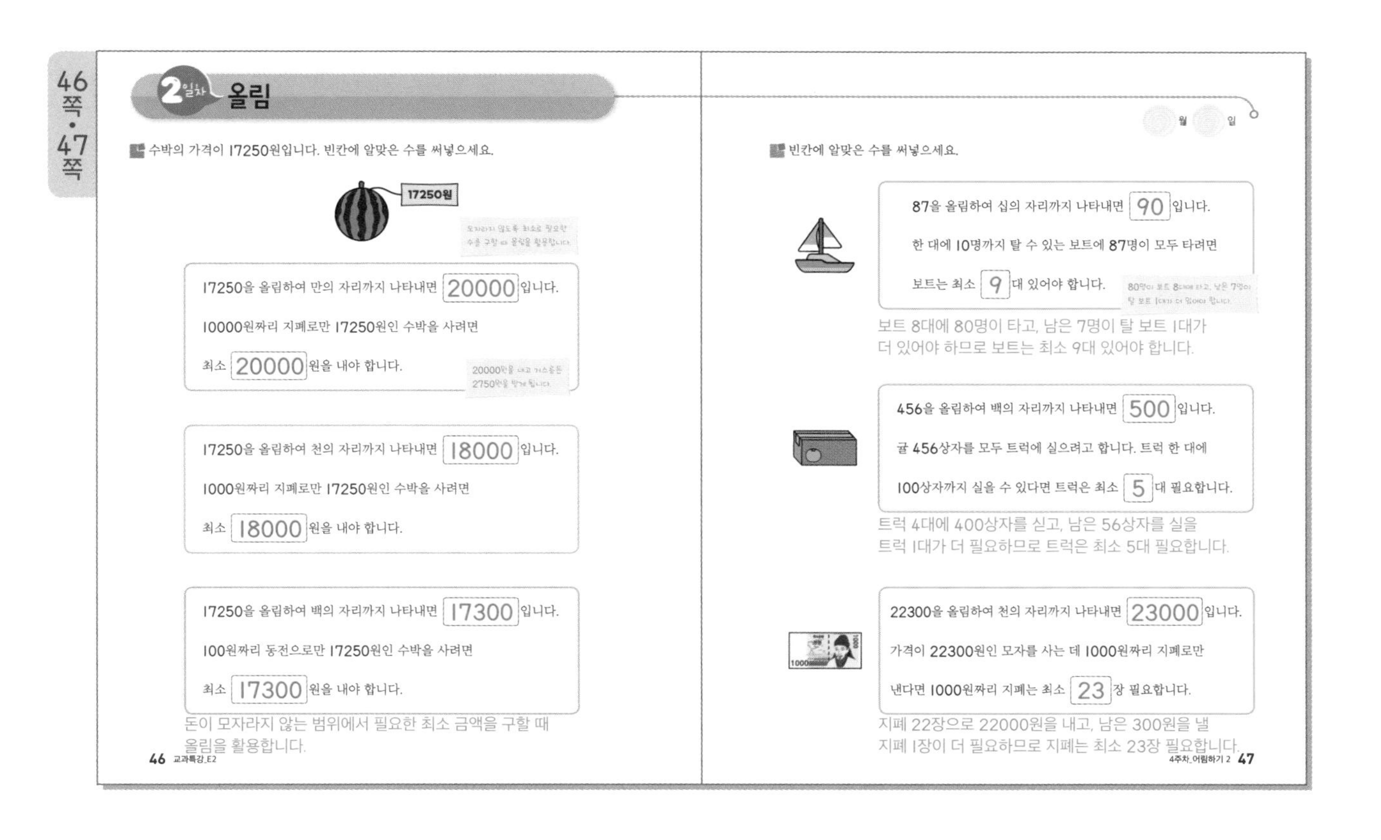

46쪽・47쪽

2일차 올림

■ 수박의 가격이 17250원입니다. 빈칸에 알맞은 수를 써넣으세요.

17250원

17250을 올림하여 만의 자리까지 나타내면 20000 입니다.

10000원짜리 지폐로만 17250원인 수박을 사려면

최소 20000 원을 내야 합니다.

20000원을 내고 거스름돈 2750원을 받게 됩니다.

17250을 올림하여 천의 자리까지 나타내면 18000 입니다.

1000원짜리 지폐로만 17250원인 수박을 사려면

최소 18000 원을 내야 합니다.

17250을 올림하여 백의 자리까지 나타내면 17300 입니다.

100원짜리 동전으로만 17250원인 수박을 사려면

최소 17300 원을 내야 합니다.

돈이 모자라지 않는 범위에서 필요한 최소 금액을 구할 때 올림을 활용합니다.

월 일

■ 빈칸에 알맞은 수를 써넣으세요.

87을 올림하여 십의 자리까지 나타내면 90 입니다.

한 대에 10명까지 탈 수 있는 보트에 87명이 모두 타려면

보트는 최소 9 대 있어야 합니다.

보트 8대에 80명이 타고, 남은 7명이 탈 보트 1대가 더 있어야 하므로 보트는 최소 9대 있어야 합니다.

456을 올림하여 백의 자리까지 나타내면 500 입니다.

귤 456상자를 모두 트럭에 실으려고 합니다. 트럭 한 대에

100상자까지 실을 수 있다면 트럭은 최소 5 대 필요합니다.

트럭 4대에 400상자를 싣고, 남은 56상자를 실을 트럭 1대가 더 필요하므로 트럭은 최소 5대 필요합니다.

22300을 올림하여 천의 자리까지 나타내면 23000 입니다.

가격이 22300원인 모자를 사는 데 1000원짜리 지폐로만

낸다면 1000원짜리 지폐는 최소 23 장 필요합니다.

지폐 22장으로 22000원을 내고, 남은 300원을 낼 지폐 1장이 더 필요하므로 지폐는 최소 23장 필요합니다.

48쪽·49쪽

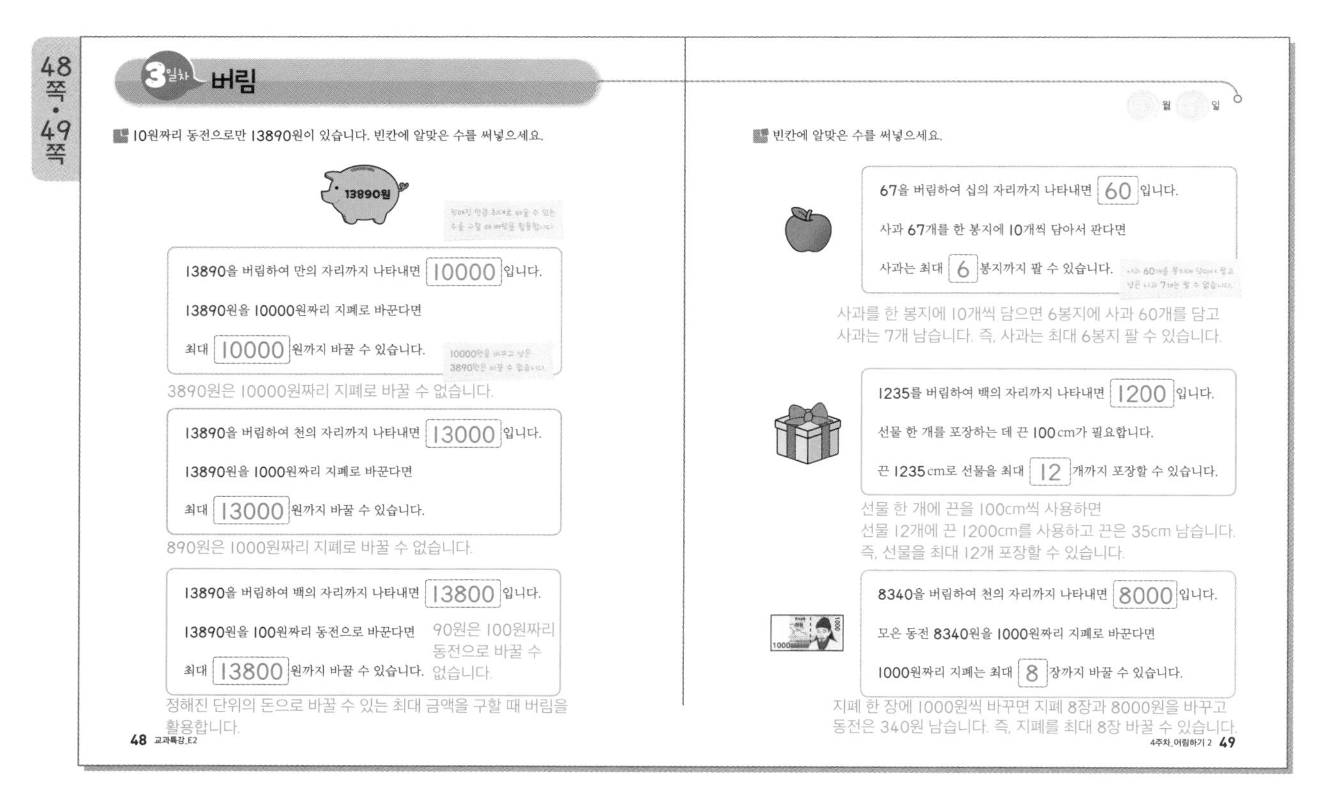

3일차 버림

월 일

10원짜리 동전으로만 13890원이 있습니다. 빈칸에 알맞은 수를 써넣으세요.

13890원

13890을 버림하여 만의 자리까지 나타내면 10000입니다.

13890원을 10000원짜리 지폐로 바꾼다면

최대 10000원까지 바꿀 수 있습니다.

3890원은 10000원짜리 지폐로 바꿀 수 없습니다.

13890을 버림하여 천의 자리까지 나타내면 13000입니다.

13890원을 1000원짜리 지폐로 바꾼다면

최대 13000원까지 바꿀 수 있습니다.

890원은 1000원짜리 지폐로 바꿀 수 없습니다.

13890을 버림하여 백의 자리까지 나타내면 13800입니다.

13890원을 100원짜리 동전으로 바꾼다면

최대 13800원까지 바꿀 수 있습니다.

90원은 100원짜리 동전으로 바꿀 수 없습니다.

정해진 단위의 돈으로 바꿀 수 있는 최대 금액을 구할 때 버림을 활용합니다.

빈칸에 알맞은 수를 써넣으세요.

67을 버림하여 십의 자리까지 나타내면 60입니다.

사과 67개를 한 봉지에 10개씩 담아서 판다면

사과는 최대 6봉지까지 팔 수 있습니다.

사과를 한 봉지에 10개씩 담으면 6봉지에 사과 60개를 담고 사과는 7개 남습니다. 즉, 사과는 최대 6봉지 팔 수 있습니다.

1235를 버림하여 백의 자리까지 나타내면 1200입니다.

선물 한 개를 포장하는 데 끈 100 cm가 필요합니다.

끈 1235 cm로 선물을 최대 12개까지 포장할 수 있습니다.

선물 한 개에 끈을 100cm씩 사용하면

선물 12개에 끈 1200cm를 사용하고 끈은 35cm 남습니다.

즉, 선물을 최대 12개 포장할 수 있습니다.

8340을 버림하여 천의 자리까지 나타내면 8000입니다.

모은 동전 8340원을 1000원짜리 지폐로 바꾼다면

1000원짜리 지폐는 최대 8장까지 바꿀 수 있습니다.

지폐 한 장에 1000원씩 바꾸면 지폐 8장과 8000원을 바꾸고 동전은 340원 남습니다. 즉, 지폐를 최대 8장 바꿀 수 있습니다.

48 교과특강_E2 · 4주차_어림하기 2 49

50쪽·51쪽

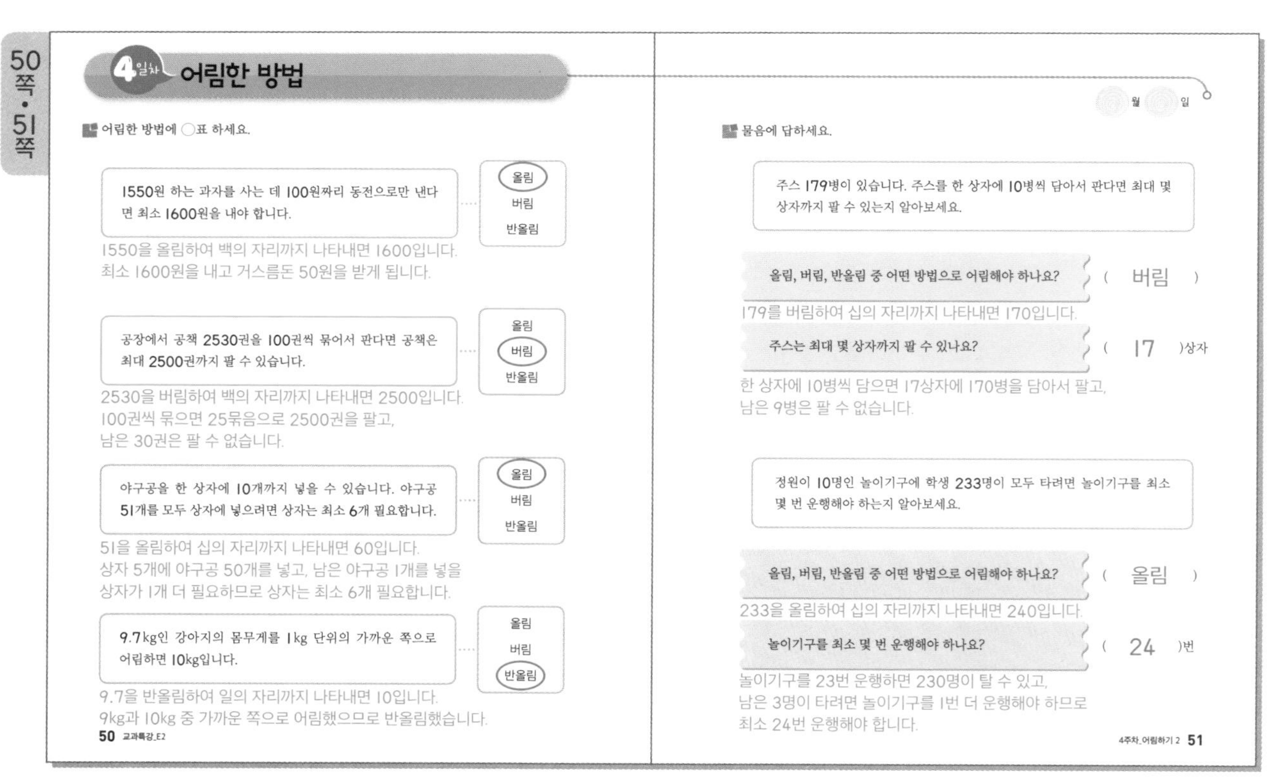

4일차 어림한 방법

월 일

어림한 방법에 ○표 하세요.

1550원 하는 과자를 사는 데 100원짜리 동전으로만 낸다면 최소 1600원을 내야 합니다. — (올림) 버림 반올림

1550을 올림하여 백의 자리까지 나타내면 1600입니다.
최소 1600원을 내고 거스름돈 50원을 받게 됩니다.

공장에서 공책 2530권을 100권씩 묶어서 판다면 공책은 최대 2500권까지 팔 수 있습니다. — 올림 (버림) 반올림

2530을 버림하여 백의 자리까지 나타내면 2500입니다.
100권씩 묶으면 25묶음으로 2500권을 팔고,
남은 30권은 팔 수 없습니다.

야구공을 한 상자에 10개까지 넣을 수 있습니다. 야구공 51개를 모두 상자에 넣으려면 상자는 최소 6개 필요합니다. — (올림) 버림 반올림

51을 올림하여 십의 자리까지 나타내면 60입니다.
상자 5개에 야구공 50개를 넣고, 남은 야구공 1개를 넣을 상자가 1개 더 필요하므로 상자는 최소 6개 필요합니다.

9.7 kg인 강아지의 몸무게를 1 kg 단위의 가까운 쪽으로 어림하면 10 kg입니다. — 올림 버림 (반올림)

9.7을 반올림하여 일의 자리까지 나타내면 10입니다.
9kg과 10kg 중 가까운 쪽으로 어림했으므로 반올림했습니다.

물음에 답하세요.

주스 179병이 있습니다. 주스를 한 상자에 10병씩 담아서 판다면 최대 몇 상자까지 팔 수 있는지 알아보세요.

올림, 버림, 반올림 중 어떤 방법으로 어림해야 하나요? (버림)

179를 버림하여 십의 자리까지 나타내면 170입니다.

주스는 최대 몇 상자까지 팔 수 있나요? (17)상자

한 상자에 10병씩 담으면 17상자에 170병을 담아서 팔고,
남은 9병은 팔 수 없습니다.

정원이 10명인 놀이기구에 학생 233명이 모두 타려면 놀이기구를 최소 몇 번 운행해야 하는지 알아보세요.

올림, 버림, 반올림 중 어떤 방법으로 어림해야 하나요? (올림)

233을 올림하여 십의 자리까지 나타내면 240입니다.

놀이기구를 최소 몇 번 운행해야 하나요? (24)번

놀이기구를 23번 운행하면 230명이 탈 수 있고,
남은 3명이 타려면 놀이기구를 1번 더 운행해야 하므로
최소 24번 운행해야 합니다.

50 교과특강_E2 · 4주차_어림하기 2 51

52쪽·53쪽

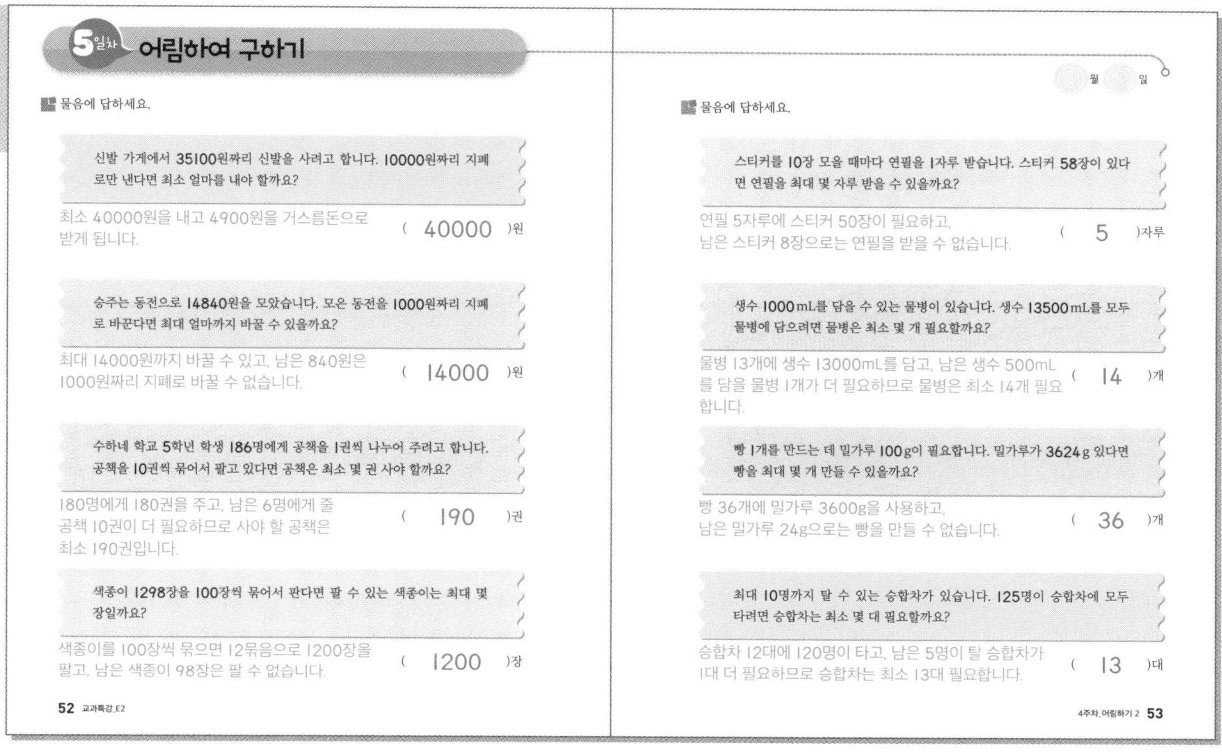

5일차 어림하여 구하기

월 일

■ 물음에 답하세요.

신발 가게에서 35100원짜리 신발을 사려고 합니다. 10000원짜리 지폐로만 낸다면 최소 얼마를 내야 할까요?

최소 40000원을 내고 4900원을 거스름돈으로 받게 됩니다. (40000)원

승주는 동전으로 14840원을 모았습니다. 모은 동전을 1000원짜리 지폐로 바꾼다면 최대 얼마까지 바꿀 수 있을까요?

최대 14000원까지 바꿀 수 있고, 남은 840원은 1000원짜리 지폐로 바꿀 수 없습니다. (14000)원

수하네 학교 5학년 학생 186명에게 공책을 1권씩 나누어 주려고 합니다. 공책을 10권씩 묶어서 팔고 있다면 공책은 최소 몇 권 사야 할까요?

180명에게 180권을 주고, 남은 6명에게 줄 공책 10권이 더 필요하므로 사야 할 공책은 최소 190권입니다. (190)권

색종이 1298장을 100장씩 묶어서 판다면 팔 수 있는 색종이는 최대 몇 장일까요?

색종이를 100장씩 묶으면 12묶음으로 1200장을 팔고, 남은 색종이 98장은 팔 수 없습니다. (1200)장

52 교과특강_E2

■ 물음에 답하세요.

스티커를 10장 모을 때마다 연필을 1자루 받습니다. 스티커 58장이 있다면 연필을 최대 몇 자루 받을 수 있을까요?

연필 5자루에 스티커 50장이 필요하고, 남은 스티커 8장으로는 연필을 받을 수 없습니다. (5)자루

생수 1000 mL를 담을 수 있는 물병이 있습니다. 생수 13500 mL를 모두 물병에 담으려면 물병은 최소 몇 개 필요할까요?

물병 13개에 생수 13000mL를 담고, 남은 생수 500mL를 담을 물병 1개가 더 필요하므로 물병은 최소 14개 필요합니다. (14)개

빵 1개를 만드는 데 밀가루 100 g이 필요합니다. 밀가루가 3624 g 있다면 빵을 최대 몇 개 만들 수 있을까요?

빵 36개에 밀가루 3600g을 사용하고, 남은 밀가루 24g으로는 빵을 만들 수 없습니다. (36)개

최대 10명까지 탈 수 있는 승합차가 있습니다. 125명이 승합차에 모두 타려면 승합차는 최소 몇 대 필요할까요?

승합차 12대에 120명이 타고, 남은 5명이 탈 승합차가 1대 더 필요하므로 승합차는 최소 13대 필요합니다. (13)대

4주차_어림하기 2 53

54쪽

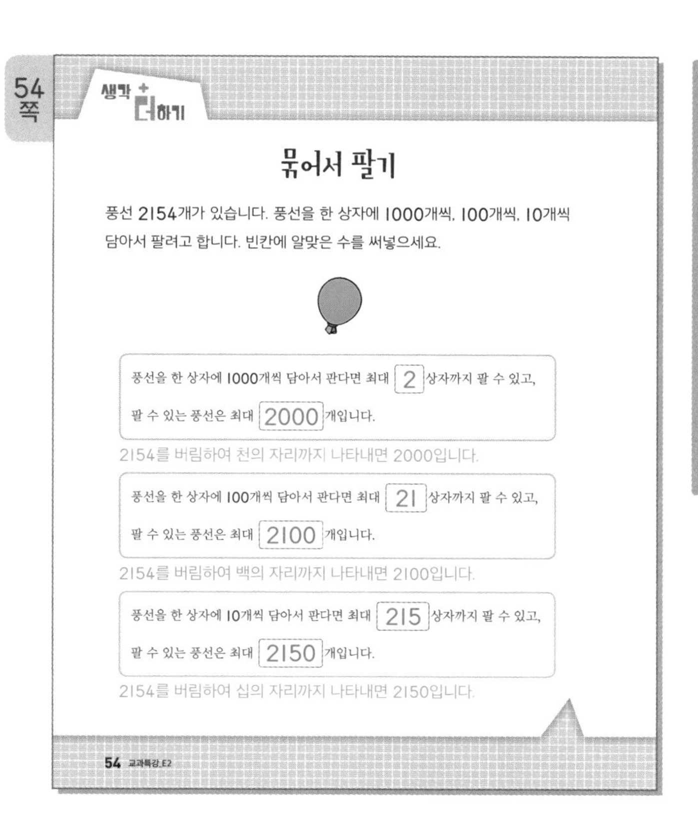

생각 더하기

묶어서 팔기

풍선 2154개가 있습니다. 풍선을 한 상자에 1000개씩, 100개씩, 10개씩 담아서 팔려고 합니다. 빈칸에 알맞은 수를 써넣으세요.

풍선을 한 상자에 1000개씩 담아서 판다면 최대 [2] 상자까지 팔 수 있고, 팔 수 있는 풍선은 최대 [2000] 개입니다.

2154를 버림하여 천의 자리까지 나타내면 2000입니다.

풍선을 한 상자에 100개씩 담아서 판다면 최대 [21] 상자까지 팔 수 있고, 팔 수 있는 풍선은 최대 [2100] 개입니다.

2154를 버림하여 백의 자리까지 나타내면 2100입니다.

풍선을 한 상자에 10개씩 담아서 판다면 최대 [215] 상자까지 팔 수 있고, 팔 수 있는 풍선은 최대 [2150] 개입니다.

2154를 버림하여 십의 자리까지 나타내면 2150입니다.

54 교과특강_E2

| 반올림을 할 때 5를 올리는 이유 |

반올림은 구하려는 자리의 바로 아래 자리의 숫자가 0, 1, 2, 3, 4이면 버리고, 5, 6, 7, 8, 9이면 올려서 나타내는 어림 방법입니다.

일의 자리 수는 0부터 10보다 작은 수까지 (0 이상 10 미만)이므로 5는 정확히 가운데 수가 아니고 10쪽으로 치우친 수입니다. 따라서 5를 반올림할 때는 올려서 나타냅니다.

링크: 숫자 카드

56쪽 • 57쪽

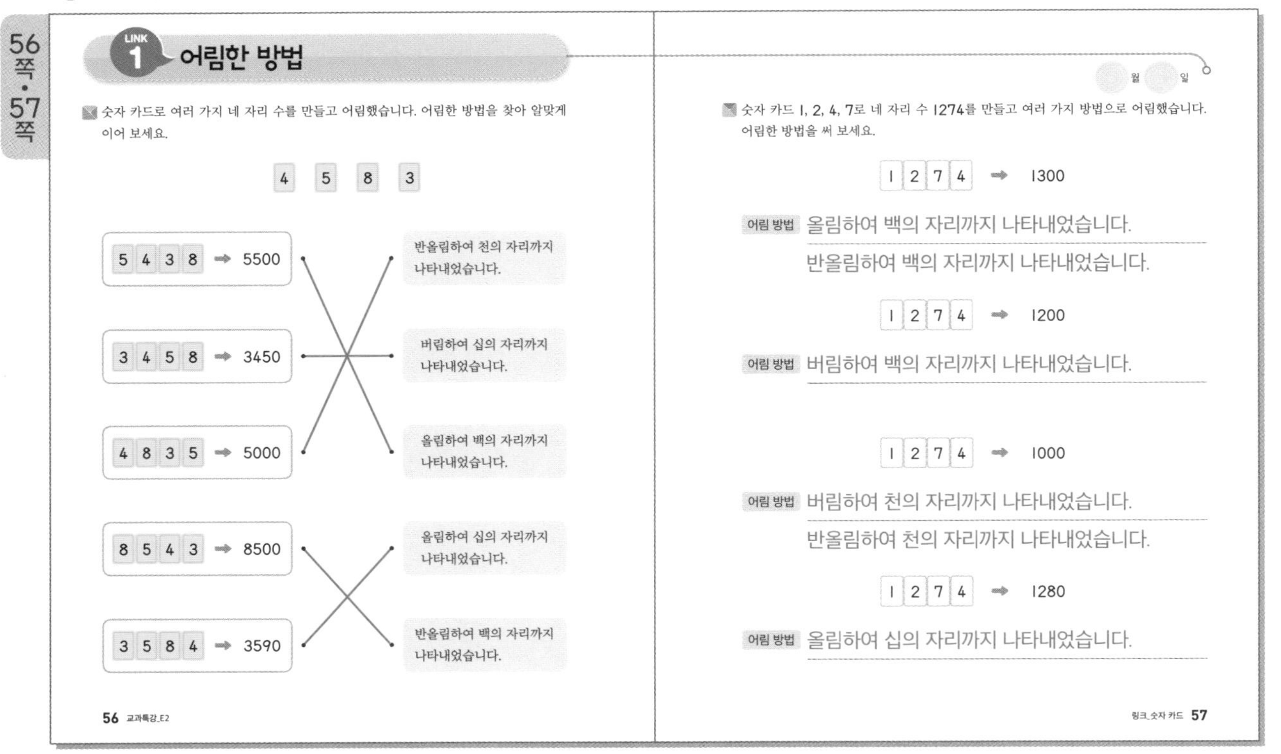

LINK 1 어림한 방법
숫자 카드로 여러 가지 네 자리 수를 만들고 어림했습니다. 어림한 방법을 찾아 알맞게 이어 보세요.
4 5 8 3
5 4 3 8 → 5500
3 4 5 8 → 3450
4 8 3 5 → 5000
8 5 4 3 → 8500
3 5 8 4 → 3590
반올림하여 천의 자리까지 나타내었습니다.
버림하여 십의 자리까지 나타내었습니다.
올림하여 백의 자리까지 나타내었습니다.
올림하여 십의 자리까지 나타내었습니다.
반올림하여 백의 자리까지 나타내었습니다.
숫자 카드 1, 2, 4, 7로 네 자리 수 1274를 만들고 여러 가지 방법으로 어림했습니다. 어림한 방법을 써 보세요.
1 2 7 4 → 1300
어림 방법 올림하여 백의 자리까지 나타내었습니다.
반올림하여 백의 자리까지 나타내었습니다.
1 2 7 4 → 1200
어림 방법 버림하여 백의 자리까지 나타내었습니다.
1 2 7 4 → 1000
어림 방법 버림하여 천의 자리까지 나타내었습니다.
반올림하여 천의 자리까지 나타내었습니다.
1 2 7 4 → 1280
어림 방법 올림하여 십의 자리까지 나타내었습니다.
56 교과특강_E2
링크_숫자 카드 57

58쪽 • 59쪽

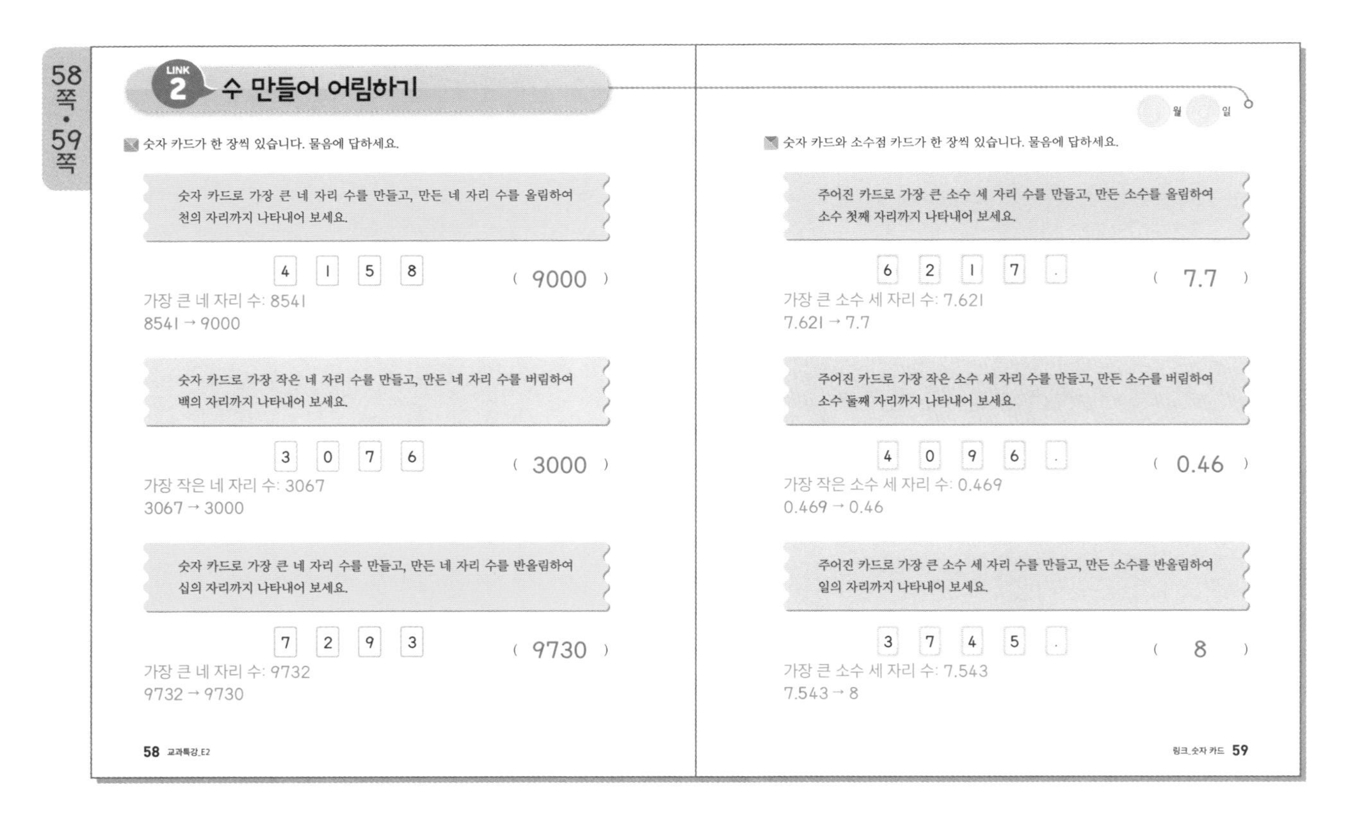

60쪽 • 61쪽

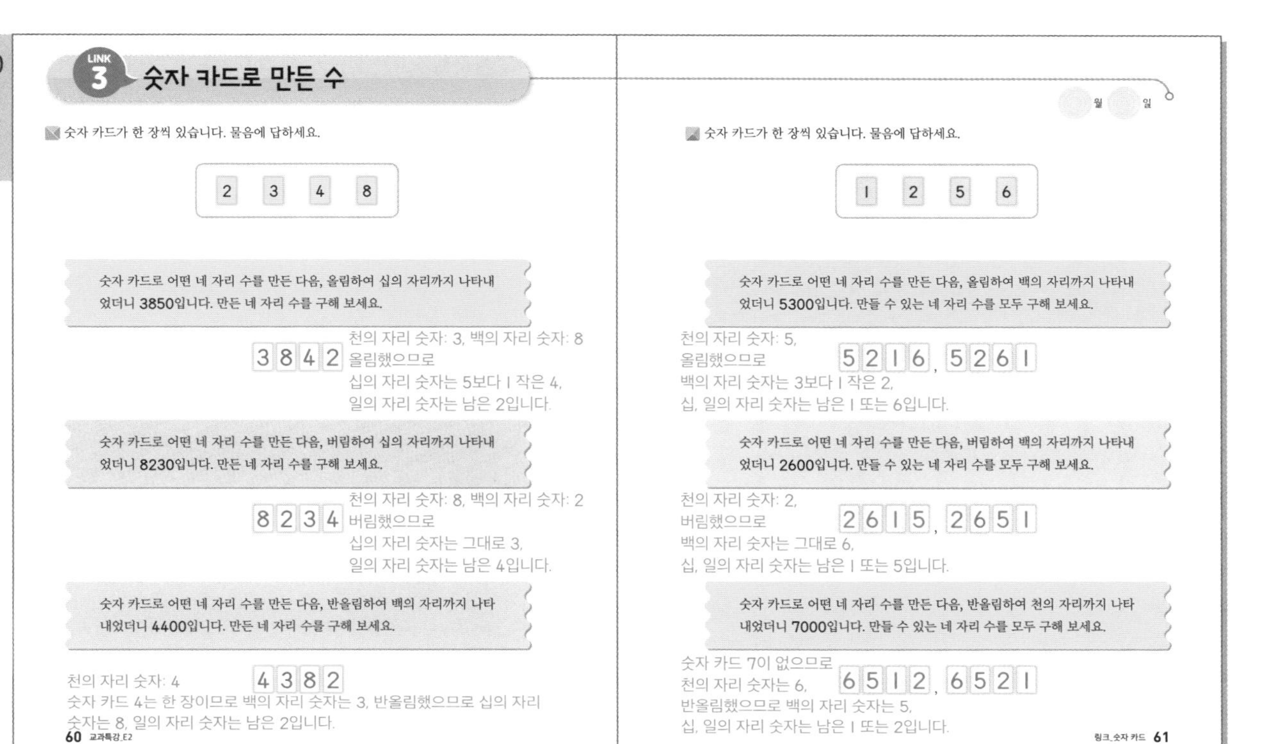

LINK 3 숫자 카드로 만든 수

숫자 카드가 한 장씩 있습니다. 물음에 답하세요.

2 3 4 8

숫자 카드로 어떤 네 자리 수를 만든 다음, 올림하여 십의 자리까지 나타내었더니 3850입니다. 만든 네 자리 수를 구해 보세요.

3842

천의 자리 숫자: 3, 백의 자리 숫자: 8
올림했으므로
십의 자리 숫자는 5보다 1 작은 4,
일의 자리 숫자는 남은 2입니다.

숫자 카드로 어떤 네 자리 수를 만든 다음, 버림하여 십의 자리까지 나타내었더니 8230입니다. 만든 네 자리 수를 구해 보세요.

8234

천의 자리 숫자: 8, 백의 자리 숫자: 2
버림했으므로
십의 자리 숫자는 그대로 3,
일의 자리 숫자는 남은 4입니다.

숫자 카드로 어떤 네 자리 수를 만든 다음, 반올림하여 백의 자리까지 나타내었더니 4400입니다. 만든 네 자리 수를 구해 보세요.

천의 자리 숫자: 4
숫자 카드 4는 한 장이므로 백의 자리 숫자는 3, 반올림했으므로 십의 자리 숫자는 8, 일의 자리 숫자는 남은 2입니다.

4382

60 교과특강_E2

월 일

숫자 카드가 한 장씩 있습니다. 물음에 답하세요.

1 2 5 6

숫자 카드로 어떤 네 자리 수를 만든 다음, 올림하여 백의 자리까지 나타내었더니 5300입니다. 만들 수 있는 네 자리 수를 모두 구해 보세요.

천의 자리 숫자: 5,
올림했으므로
백의 자리 숫자는 3보다 1 작은 2,
십, 일의 자리 숫자는 남은 1 또는 6입니다.

5216, 5261

숫자 카드로 어떤 네 자리 수를 만든 다음, 버림하여 백의 자리까지 나타내었더니 2600입니다. 만들 수 있는 네 자리 수를 모두 구해 보세요.

천의 자리 숫자: 2,
버림했으므로
백의 자리 숫자는 그대로 6,
십, 일의 자리 숫자는 남은 1 또는 5입니다.

2615, 2651

숫자 카드로 어떤 네 자리 수를 만든 다음, 반올림하여 천의 자리까지 나타내었더니 7000입니다. 만들 수 있는 네 자리 수를 모두 구해 보세요.

숫자 카드 7이 없으므로
천의 자리 숫자는 6,
반올림했으므로 백의 자리 숫자는 5,
십, 일의 자리 숫자는 남은 1 또는 2입니다.

6512, 6521

링크_숫자 카드 61

정답

형성평가

64쪽·65쪽

형성평가 1회

맞힌 문항 수: / 6문항

1 수직선에 나타낸 수의 범위에 포함되는 수를 모두 찾아 ○표 하세요.

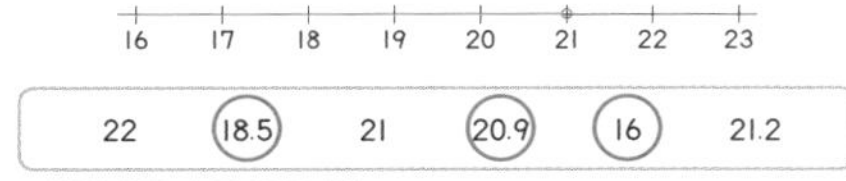

22 (18.5) 21 (20.9) (16) 21.2

21보다 작은 수를 찾습니다.

2 수직선에 나타낸 수의 범위를 보고 빈칸에 이상, 이하, 초과, 미만 중 알맞은 말을 써넣으세요.

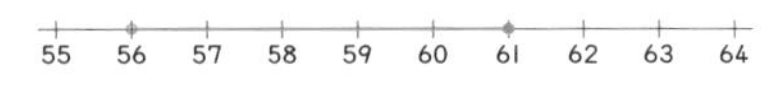

56 [초과] 61 [이하] 인 수

56보다 크고 61과 같거나 작은 수입니다.

3 어느 주차장에는 높이가 2m 미만인 자동차만 들어갈 수 있습니다. 주차장에 들어갈 수 있는 자동차의 기호를 모두 써 보세요.

자동차의 높이

자동차	가	나	다	라	마	바
높이(cm)	150.3	200.0	232.5	195.6	180.9	203.1

(가, 라, 마)

높이가 200cm보다 낮은 자동차를 찾습니다.

4 한라산의 높이는 1950m입니다. 한라산의 높이를 어림하여 주어진 자리까지 나타내어 보세요.

높이(m)	올림하여 천의 자리	버림하여 백의 자리	반올림하여 백의 자리
1950	2000	1900	2000
	1950 → 2000	1950 → 1900	1950 → 2000

5 주어진 수를 올림, 버림, 반올림하여 천의 자리까지 나타내었을 때 5000이 되는 수에 모두 ○표 하세요.

수	4450	4500	4993	5000	5499	5560
올림	○	○	○	○		
버림				○	○	○
반올림		○	○	○	○	

5000을 올림하여 천의 자리까지 나타내면 5000 → 5000
5000을 버림하여 천의 자리까지 나타내면 5000 → 5000
5000을 반올림하여 천의 자리까지 나타내면 5000 → 5000

6 정원이 10명인 케이블카에 관광객 103명이 모두 타려고 합니다. 케이블카를 최소 몇 번 운행해야 할까요?

(11)번

케이블카를 10번 운행하면 100명이 탈 수 있고, 남은 3명이 타려면 1번 더 운행해야 하므로 케이블카는 최소 11번 운행해야 합니다.

66쪽·67쪽

형성평가 2회

맞힌 문항 수: / 6문항

1 25 이상인 수에 모두 ○표 하세요.

23 19 (28) (31) 20 (26) (25)

25와 같거나 큰 수를 찾습니다.

※서진이네 반 여학생들이 제자리 멀리뛰기를 한 기록과 등급별 거리입니다. 물음에 답하세요. (2-3)

제자리 멀리뛰기 기록

이름	서진	미주	아현	혜지	다원
거리(cm)	130.5	110.0	170.3	123.7	141.4
	3등급	4등급	1등급	3등급	2등급

등급별 거리

등급	1	2	3	4	5
거리(cm)	170 초과	139 초과 170 이하	123 초과 139 이하	100 초과 123 이하	100 이하

2 서진이와 같은 등급에 속한 학생의 이름을 써 보세요.

(혜지)

서진이는 3등급입니다.

3 미주가 속한 등급의 거리 범위를 수직선에 나타내어 보세요.

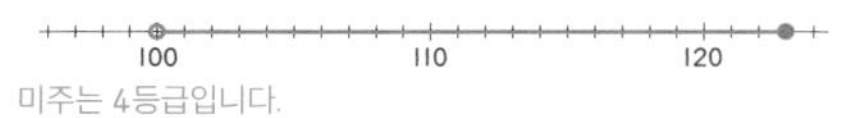

미주는 4등급입니다.

4 공연장에 입장한 사람이 26253명입니다. 사람 수를 올림, 버림, 반올림하여 천의 자리까지 나타내어 보세요.

사람 수(명)	올림	버림	반올림
26253	27000	26000	26000
	26253 → 27000	26253 → 26000	26253 → 26000

5 어떤 네 자리 수를 반올림하여 백의 자리까지 나타내면 3100입니다. 어떤 네 자리 수가 다음과 같을 때 천의 자리 숫자와 백의 자리 숫자를 써넣으세요.

[3][0]73

백의 자리 바로 아래 자리인 십의 자리 숫자가 7이므로 올려서 3100이 되었습니다.

6 사탕을 한 봉지에 100개씩 담아서 팔려고 합니다. 사탕이 2145개 있다면 최대 몇 봉지까지 팔 수 있고, 팔 수 있는 사탕은 최대 몇 개일까요?

(21)봉지, (2100)개

한 봉지에 100개씩 담으면 21봉지에 사탕 2100개를 담아서 팔고, 남은 사탕 45개는 팔 수 없습니다.

초등 수학 핵심파트 집중 완성 교과특강

"교과수학을 완성합니다."

수와 도형의 배열에서 규칙을 찾아
사고력을 기릅니다.

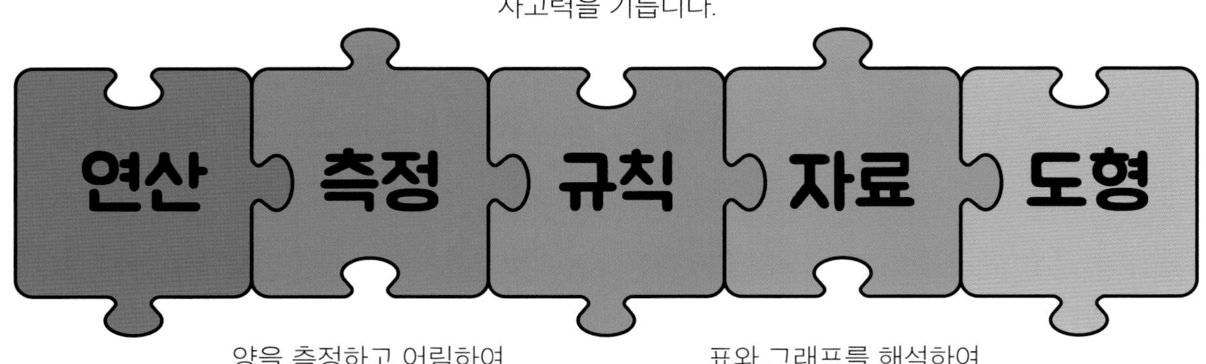

양을 측정하고 어림하여
실생활의 수 감각을 기릅니다.

표와 그래프를 해석하여
추론능력을 기릅니다.